Einaudi. Stile Libero Big

Dello stesso autore nel catalogo Einaudi

Notti in bianco, baci a colazione
Sono puri i loro sogni
La vita fino a te
L'invenzione di noi due

Matteo Bussola

Il tempo di tornare a casa

Einaudi

www.einaudi.it

ISBN 978-88-06-24942-7

Il tempo di tornare a casa

ai treni presi, a quelli persi,
alle fermate sbagliate

Forse si amano proprio da quel tremendo momento
in cui hanno sentito l'impossibilità del loro amore.
Si amano, ora, perché si sono già lasciati.

PIER VITTORIO TONDELLI, *L'abbandono*

Non può essere mai come ieri
Mai piú la stessa storia
Non può essere mai come ieri
Mai quella stessa gloria
Su vieni e riabbracciami
Se ti ho perso è stato solo per un attimo.

MARIO VENUTI E CARMEN CONSOLI, *Mai come ieri*

Forse la felicità si trova solo dentro le stazioni?

GEORGES PEREC

Entriamo nel mondo lasciando qualcuno.

Abbandoniamo il respiro di nostra madre, il battito del suo cuore, la certezza del suo ventre. Il calore del suo sangue. Andiamo incontro alle braccia sconosciute di nostro padre, ai suoi occhi increduli. Seguirà l'incognita di altre voci, altri odori, altri sguardi, altre stanze.

Crescendo, lasciamo ogni giorno le vecchie versioni di noi stessi, per andare incontro al nuovo.

Sono spesso scarti minimi a decidere ciò che saremo: un'intuizione improvvisa, un desiderio che fiorisce, una frase letta, un fuoco inatteso che ci scalda proprio quando ci consideravamo perduti.

A volte lasciamo le persone, perché non ci sembrano piú abbastanza. Accade quando una relazione finisce o quando sentiamo che l'amore, da solo, non è piú sufficiente. Chiudiamo repentini e crudeli oppure forniamo interminabili spiegazioni, dipende se ad animarci è la volontà di andare via o la speranza che qualcuno ci trattenga. Altre volte, sono invece le persone a lasciare noi. D'un tratto, siamo noi quelli sbagliati, quelli non piú amati, quelli amati disperatamente e ora persi per sempre. Quelli amati in passato ma di cui basterà sentir pronunciare il nome per essere ancora lí, a chiedersi di nuovo il perché. Quelli amati di nascosto, quelli amati nonostante. Quelli che avresti amato se solo, quelli amati male, quelli ancora da amare. Quelli amati mai.

Vivere, in fondo, non è che una serie di storie che si chiudono e si aprono, un continuo stringere la presa e lasciar andare. Una catena infinita di incontri e addii.

Ma tra una fine e un nuovo inizio esiste una stagione dai confini incerti, un guado in cui può capitare di smarrirsi: è il tempo dell'attesa.

Ci sono persone che passano la maggior parte della vita ad aspettare.

Aspettano l'amore giusto, il momento adatto, il mantenimento di una promessa, la conclusione di una sofferenza, la rimarginazione di una ferita. Attendono che qualcuno finalmente le veda.

Poi un giorno, senza preavviso, si alzano in piedi tra la folla e decidono che è ora.

Comincia tutto con un treno perso.

Le storie iniziano spesso cosí.

Comincia in un mattino d'autunno senza sole, il cielo è basso e pieno di nuvole, mi trovo al binario 1 di una stazione di provincia. Sono arrivato qui ieri, per partecipare a un festival letterario. Il mio treno del ritorno partiva alle dodici e trenta, io sono sbucato dalle scale alle dodici e trentadue, l'aria trafelata, il mio zainetto di Pucca in spalla e il berretto giallo calato sul viso, giusto in tempo per veder sparire gli ultimi vagoni in lontananza.

Perdere treni è una cosa che, negli ultimi anni, mi è capitata di frequente. Posso dire che non è quasi mai colpa mia, perché cerco sempre di muovermi con largo anticipo. Ma se prendi una cinquantina di treni al mese, l'imprevisto è dietro l'angolo. Oltre a questo, pare che una legge segreta dell'universo preveda che quando arriviamo puntuali il nostro treno parta in ritardo, e ogni volta che arriviamo in ritardo, anche solo di due minuti, il treno sia invece puntualissimo. Qualcuno saprebbe leggerci una metafora sulla vita, mentre io, dopo aver consultato il tabellone delle partenze, riesco a pensare soltanto al fatto che mi toccherà passare le prossime tre ore in una stazione sconosciuta, con un vento gelido e innaturale per novembre che le porte dell'atrio, aprendosi di continuo, non riescono a tener fuori.

Decido di chiamarla perché non stia in pensiero. Lo faccio se ho un ritardo anche minimo, siamo abituati in questo modo. Tutte le volte, appena digitato il numero, torno per un attimo a quel giorno.

In pieno inverno, molti anni fa, le telefonai che stavo andando da lei. Era sera e pioveva, abitavamo ancora in due città diverse, ci stavamo organizzando per la nostra prima casa insieme. Avevamo da poco saputo di aspettare una figlia. La chiamai dopo aver accostato con la macchina nella corsia d'emergenza dell'autostrada, tremante e sudato. Intuí il pericolo dalla voce, fu lei a riconoscere il mio primo attacco di panico. Anni piú tardi, un medico mi spiegò che «gli attacchi dipendono dalla sua paternità. Ora che è responsabile di altre vite oltre la sua, lei ha cominciato ad aver paura di morire. La paura di morire ci assale quando sentiamo che la nostra assenza causerebbe un danno in vite che non sono la nostra».

– Stai lí, – disse lei, – vengo a prenderti io.

– E la macchina?

– Lasciala dov'è, la recuperiamo domani.

Da quella sera so due cose.

La prima è che l'amore ha sempre, sempre a che fare con qualcuno in grado di riportarti a casa.

La seconda è che stare lí, soprattutto nei momenti difficili, può essere la soluzione migliore. Perché, quando ti sembra che la tua paura non abbia voce, è proprio allora che devi stare fermo, imparare a sentirla, accoglierla come parte di te.

Mi risponde dopo il quarto squillo.

– Sei partito?

– No, purtroppo il treno è andato. Mi avevano assicurato che la stazione era a dieci minuti a piedi dal bed & breakfast, nc ho messi in conto venticinque e niente lo stesso. O sono io che ho le gambe corte, o sono stati un pelo troppo ottimisti.

– Mi dispiace, a che ora hai il prossimo?

– Il tabellone dice alle quindici e dieci, non ci si crede.

– Io lo so che è tutto un trucco per evitare di accompagnare le bambine in piscina anche oggi, sai?

– Esatto. Ora devo solo trovare un modo per ammazzare il tempo.

– Perché non vai a farti un giretto in città?

– No no, sei pazza? Io adesso nel dubbio non mi muovo piú da qui.

– Bravo, era un tranello, prova superata.

– E poi qualcosa da fare mi verrà in mente di sicuro.

– Magari ti viene un'idea per il prossimo libro.

– In stazione al freddo e al gelo? Non c'è speranza.

– E chi può dirlo.

– Io?

– Noioso. Sai cosa diceva Stefano Benni sulla speranza?

– No.

– Diceva che la speranza è una vocina sottile, che bisogna andarla a cercare da dove viene, guardare sotto il letto per poterla ascoltare, oppure entrare in una stazione.

– Stefano Benni non l'ha detto di certo dopo aver appena perso un treno.

– Okay, allora annoiati con serenità, noi siamo qui, quando arrivi, arrivi.

– Dài un bacio alle mie bambine, e di' loro che la prossima settimana le accompagno in piscina sicuramente io.

– Ti preparo già la borsa.

Quando riappendo, comincio a guardarmi attorno.

Nella stazione ci sono una biglietteria, una libreria, un negozio di gadget, una piccola sala d'aspetto al primo piano che ho intravisto mentre scendevo, un bar che sembra preparare buoni panini.

Magari li visiterò piú tardi. Magari mi comprerò un libro, mangerò qualcosa, berrò un caffè, risponderò alle mail col telefono. Ma adesso no. Adesso non voglio fare niente.

Non voglio ammazzare il tempo, non voglio ingannarlo, voglio solo che il tempo mi attraversi come sabbia in una clessidra. Voglio ascoltare, assaporare, respirare. Senza preoccuparmi di nulla, per una volta, senza dover correre da nessuna parte.

Mi sistemo il berretto, appoggio lo zaino vicino ai piedi, mi siedo su una panchina nell'atrio.

Oggi voglio stare qui.

Oggi aspetto e basta.

LaMarta
(Non siamo ricchi per ciò che possediamo)

LaMarta siede con le sue tre borse della spesa messe una davanti, una a destra e una a sinistra.

Le ha sistemate piú volte ai suoi piedi, quando si è seduta nella sala d'aspetto della stazione, cercando di intravedere un qualche vezzo nella loro composizione, quasi fossero oggetti decorativi.

Non ha nessun biglietto, LaMarta, e nessun posto dove andare. Ma oggi ha deciso che non tornerà a casa. Si era sforzata a lungo di trovare una buona ragione per farlo, ma l'unica cosa che le era venuta in mente erano le cotolette che si stavano scongelando dentro la borsa gialla a destra. Non c'è niente, per lei, a casa. Non c'è niente nemmeno fuori casa, se è per questo, ma fuori nel mondo, ogni tanto, la vita riesce ancora a sorprenderla.

Quella mattina, per esempio, mentre usciva dal supermercato con la spesa, un'auto le aveva suonato. LaMarta non sapeva perché, camminava sul marciapiede, non doveva neanche attraversare, magari quel clacson non era nemmeno per lei, ma il suono improvviso, acuto, aveva rotto qualcosa nella sua andatura. Era quasi inciampata, si era fermata, il cuore che le batteva forte. Aveva raggiunto una panchina e si era seduta, giusto per riprendersi un attimo. E lí, sulla panchina, accanto a un tiglio che la riparava dal vento che si stava alzando, d'un colpo si era sentita vecchia. A cinquantanove anni, una figlia sposata, un figlio che faceva l'operaio in una città lontana, sua mamma che non la riconosceva piú, l'inquilino del piano di sotto che non la salutava da due anni, le amiche sparite, inghiottite da vite simili alla sua. Vecchia. LaMarta, la chiamavano cosí tutti da sempre, da quando era bambina, l'articolo si era attaccato al nome e non lo aveva abbandonato piú. Tutto il resto, invece, LaMarta lo aveva perso per strada, senza nessuno sforzo, sembrava che non fosse mai una fatica o un dolore lasciarla indietro, dimenticarsi di lei, come non fosse mai esistita. Per il suo compleanno si era presa un cellulare nuovo di quelli belli, con i punti dell'Esselunga, tanto di pentole ne aveva da buttare. Aveva riempito la rubrica e aveva iniziato ad aspettare che qualcuno la chiamasse.

I figli, LaMarta, li sente di rado, a meno che non ci siano nipotini di cui occuparsi. Le amiche mandano di continuo immagini di fiori, arcobaleni, in un gruppo dove c'è anche lei, sono in trentasette, tante rispondono e nessuno si accorge che lei di fiori non ne ha mai mandati, perché non è capace e non c'è nessuno che le insegni. Invisibile, anche lí.

Ma il posto in cui, piú degli altri, LaMarta ha smesso di esistere è in casa sua. Dove c'è suo marito Massimo, senza articolo, tutti lo chiamano per nome, i piú intimi azzardano un Max. Massimo ha la sua stessa età, lui e LaMarta sono andati a scuola assieme, hanno studiato all'istituto per il commercio, e in effetti Massimo un negozio ce l'ha sempre avuto, articoli per la casa e ferramenta, aperto da suo nonno, gestito da suo padre che gliel'aveva passato come un destino. Massimo aveva il bernoccolo per gli affari, e quando era diventato il padrone aveva aperto un angolo per gli artigiani locali, le aziende del luogo, si era fatto molti amici e una clientela solida. Era un uomo bello, con un vocione profondo, che ispirava fiducia. Usciva la mattina alle sette e mezza e rientrava la sera alle otto. LaMarta si era bevuta per un sacco di tempo che servissero tutte quelle ore per gestire un'attività, infine aveva capito. Massimo non la toccava piú dalla nascita del secondo figlio, che faceva ormai ventitre anni. Se l'era portata in chiesa la domenica e ai pranzi di famiglia finché i suoi erano stati vivi, poi aveva smesso. Rientrava la sera senza un saluto, sedeva a tavola, mangiava, andava ad accendere la tv e veniva a letto quando LaMarta era già addormentata. Qualche volta le chiedeva di comprargli le lamette da barba, o il talco mentolato, raramente abbandonava una giacca sulla sedia d'ingresso dicendole: «Portamela in tintoria».

Non le aveva mai messo le mani addosso e non aveva mai alzato la voce. Ma LaMarta aveva paura di lui. Lo aveva sposato per amore, o almeno credeva, lui era cosí sicuro di sé, e lei una cosina modesta, sempre sorridente, timida, che sapeva stare al suo posto come le avevano insegnato. Sembrava tutto facile. Ma dopo il matrimonio e i figli, lei per lui era semplicemente diventata parte del mobilio. Era quella che cucinava e teneva in ordine, Massimo non vedeva altro. Con il tempo anche LaMarta aveva smesso di vedere altro. Non aveva soldi suoi, Massimo non le aveva mai aperto un conto, le lasciava il denaro sul piattino giallo in cucina, se gliene serviva altro bastava domandare. A Natale e al compleanno un regalo neutro, spesso un elettrodomestico. All'anniversario un mazzo di fiori che le faceva consegnare fuori dalla porta. LaMarta non osava chiedere, non immaginava piú di quello che viveva ogni giorno. Quella mattina, invece, era andata a fare la spesa e le avevano suonato il clacson. E lí, seduta sulla panchina, aveva tirato fuori il suo telefono nuovo, ancora senza un graffio, e aveva riletto i messaggi del gruppo di fiori e arcobaleni. Uno in particolare l'aveva colpita.

«Non siamo ricchi per ciò che possediamo, ma per ciò di cui possiamo fare a meno».

Lo aveva riletto diverse volte. La conclusione logica era che Massimo, i suoi figli e le sue amiche fossero tutti ricchi, visto che potevano fare a meno di lei. Aveva sollevato gli occhi da quel cellulare che non squillava mai e aveva guardato la strada. Se avesse seguito il marciapiede sarebbe tornata a casa, se avesse attraversato sarebbe finita sulla salita che portava alla stazione. Aveva preso le sue tre borse e aveva attraversato. Si era accomodata nella sala d'aspetto, chiudendosi bene il giubbotto color carta da zucchero che sui bordi aveva perso il colore, e aveva sistemato le borse.

E la troviamo qui, adesso, seduta, dimenticata, cancellata dal mondo.

Per un po' non succede niente, nella sala ci sono solo due ragazzi, neri come tizzoni, che parlano in una lingua straniera, ma salgono sul primo treno che arriva. Poi entra un uomo, è evidente la furia trattenuta che lo anima, l'ansia che gli scurisce il viso, come un temporale che si addensa all'orizzonte. Il telefono dell'uomo non fa che suonare e lui non fa che uscire e rientrare, senza mai prendere nessun treno, senza mai aspettare che qualcuno scenda. A un tratto lo vede controllare il numero del mittente e coprirsi gli occhi con una mano. Non risponde. A LaMarta sembra che stia per piangere. Quando torna il silenzio lei decide di alzarsi, va alla macchinetta all'angolo, ci infila dentro delle monete di Massimo e preme un po' di tasti, cercando di capirne il funzionamento. Torna verso l'uomo.

– Signore?

Lui si volta a guardarla con gli occhi lucidi. LaMarta gli allunga uno dei due bicchierini. Lui rimane un po' a fissarlo, alla fine lo prende.

– Grazie, – dice.

LaMarta non può fare a meno di notare che la voce gli trema. Bevono seduti a tre posti di distanza. Quindi il telefono dell'uomo squilla nella tasca, lui lo estrae, legge il numero, per l'agitazione si rovescia quel che resta del caffè addosso e si butta fuori dalla sala d'aspetto, neanche ne andasse della sua stessa vita, infine si lancia correndo giú per le scale.

Passa un'ora senza che entri piú nessuno. Poi si infilano dentro una ragazzina con la coda di cavallo e, di lí a poco, un giovanotto con un berretto giallo in testa. La ragazzina si appiccica alla finestra e guarda fuori, il giovanotto traffica un po' con la macchinetta dei caffè. LaMarta osserva che non è proprio un giovanotto, però gli abiti e lo zainetto buffo che porta in spalla un poco ingannano. Non riesce a farsi prendere le monete dalla macchinetta, chiede alla ragazzina se ha da cambiare, lo chiede anche a LaMarta, lei vorrebbe aiutarlo ma le monete di Massimo sono finite. Lui se ne va lanciandole un sorriso sconsolato, la ragazzina lo segue con gli occhi, quasi per essere sicura che esca, forse le ha fatto paura.

Entra una coppia di anziani con tre grosse valigie, due le porta lui, una lei. Si siedono nell'angolo parlando di quanto faccia freddo, anche se siamo appena a novembre, e poi dicono del surriscaldamento del pianeta. Arriva un treno, quando riparte la ragazzina scappa fuori senza salutare nessuno. L'uomo anziano è impaziente, si alza spesso a guardare il monitor delle partenze, lei resta seduta con un telefono bianco in mano, ogni tanto tocca qualcosa, inizia a ridere e gli dice: – Vieni a vedere!

Lui torna e ride con lei, ma un po' forzatamente, solo per farle piacere. Quando annunciano il ritardo del loro treno allarga le braccia, sbuffa in modo plateale, dice che in Germania certe cose non succedevano. Allora lei gli sorride e gli chiede di andare a prendere due caffè. Lui la guarda in tralice, come una bambina che fa un capriccio in un momento sbagliato, ma lei gli restituisce uno sguardo furbo e alla fine lui va alla macchinetta nell'angolo e torna con due bicchierini, si mettono davanti al telefono bianco e ridono assieme. LaMarta li ascolta, bevendo ogni parola, ogni tono. Dentro alle borse, il sacchetto del pane si sta inumidendo a contatto con il cartone dei surgelati che si affloscia lento. Dopo venti minuti la coppia esce, e un attimo prima di chiudere la porta l'uomo dice: – Buongiorno.

E LaMarta sa di esistere, di esserci ancora anche se Massimo si è dimenticato di lei e i suoi figli si sono dimenticati di lei e il mondo intero sembra essersi dimenticato di lei. Le sono bastati un colpo di clacson e un saluto, per esserci ancora. Quindi: no, non tornerà a casa fino a quando quel telefono non squillerà.

Attende per tutto il pomeriggio, nell'andirivieni dei viaggiatori, in compagnia di un uomo che faceva le pulizie prima, di una donna con la tosse poi, e infine di un tipo che cerca di non appisolarsi. Alle sette LaMarta infila una mano nel sacchetto di sinistra e tira fuori una mela. La mangia in silenzio, mentre lo schermo del suo cellulare resta spento. È scomparsa dalla circolazione da quasi otto ore, Massimo dev'essere sul punto di tornare.

LaMarta ripensa a quell'uomo entrato e uscito come un temporale. Alla sua agitazione.

Pensa che forse l'uomo era arrivato a casa e non aveva trovato sua moglie. Che si era preoccupato perché lei non tardava mai. Magari aveva controllato, e nel frigo la spesa non c'era, quindi poteva essere successo qualcosa di grave. Forse aveva iniziato a chiamare i figli, i parenti, gli amici. Era andato all'ospedale e alla polizia, aveva girato in macchina tutto il paese, moltissime volte. Aveva temuto che lei se ne fosse andata ed era corso lí, alla stazione, come un'ultima speranza. E solo lí, solo qui, la moglie lo ha finalmente richiamato e gli ha detto: «Allora? Non è mica granché essere ricco, vero?»

Piú ci pensa e piú le sembra una bella storia. E ci pensa a lungo, ci pensa per ore.

L'uomo delle pulizie torna di nuovo e adesso le sorride.

È quasi mezzanotte e LaMarta aspetta ancora.

Davide
(Chissà perché nella vita non c'è quasi mai il lieto fine)

Mi viene da ridere se penso a tutto il circo che ho fatto per esserci.

La scuola saltata, il treno preso stamattina di nascosto dai miei, poi i due autobus e la fuga dal finestrino per sfuggire al controllore, con quello scemo di Paolo che quasi atterra di testa. Il macello lasciato a casa. Non ho mai sentito mio padre urlare cosí forte come quando mi hanno chiamato, intorno a mezzanotte. A parte il giorno che mi sono fatto i capelli rosa, intendo.

– Cos'è questo colore da imbecille?! – e la questione era già chiusa.

Le sue non sono mai vere domande, sono sentenze. Non gli va giú che io non sia ciò che sperava, l'unico figlio maschio, quello che doveva testimoniare la sua efficienza di educatore, il valore del suo sangue. Che smacco, eh pa'?

– Torno domani, prendo il treno delle otto e dieci, – gli ho detto al telefono. E lí è partita la sirena. Allora ho riattaccato e spento.

Mi viene da ridere se immagino la sua faccia paonazza, la vena ricurva che gli si gonfia sul collo se alza la voce. Il serpente uroboro, la chiama mamma, che negli anni quella vena l'ha vista fin troppe volte. Ridere è il mio modo per sfidarlo, anche a distanza. Anche da qui. L'arte di non fare piú ciò che si aspetta da me, che richiede il tempismo del chirurgo e il sorriso del pazzo. La verità è che io non vorrei sentire urlare nessuno, ma devo trovare la maniera di vivere. Se fosse per lui non potrei mai fare niente. Niente che non sia previsto nel suo piano, almeno. Un giorno gliel'ho detto.

«Vivere in questa casa è come essere in prigione da innocenti».

Non l'ha presa bene. Ha cominciato a cianciare di sacrifici, di doveri, ha detto che a sedici anni un po' di galera – «quella vera, però!» – mi farebbe bene sul serio. Ha quest'idea che l'amore vada meritato con l'impegno, l'abnegazione, i genitori fanno spesso cosí. Il nonno con lui, per esempio. Non puoi essere amato anche quando cadi, se fallisci o perdi. Quando non riesci nei tempi previsti. Quando fiorisci fuori stagione. Quando lei ti molla e ti cancella da tutto e tu ti senti galleggiare nel vuoto, perché realizzi che essere te stesso non è stato abbastanza per trattenerla.

Gli adulti sembrano essersi dimenticati com'è. Il dolore che provi se qualcuno decide di passare oltre te, mentre tu in un attimo diventi il passato, lo scartato, quello di prima. La crudeltà con cui alcune persone ti resettano dalle loro esistenze. Ecco perché ho deciso che, da qui in avanti, voglio sentirmi per sempre un adesso, un eterno presente, voglio lasciare che tutto scorra, non trattenere niente e fanculo al resto. Alle aspettative dei miei, soprattutto. Non sarò mai un bravo liceale con al collo la cravatta del padre.

Abbiamo saputo del rave tramite Telegram. Le chat giravano da mesi. Il primo *teknival* autunnale dopo anni, si dice. In un'area industriale dismessa, in questo gigantesco capannone arrugginito che pare il relitto di un'astronave precipitata su un pianeta sconosciuto. A quasi duecento chilometri da casa.

Io e Paolo a un rave non eravamo mai stati.

«Dài che chiodo scaccia chiodo, frate», ha detto per convincermi a venire.

Paolo ha questo suo modo di prendersi cura di me, è convinto che io abbia bisogno di *guzzare*, come dice lui, che ci tiene a ribadire le sue origini bolognesi perfino se parla di scopate. Ma a me non importa. Io sono qui solo per la musica, il rumore, far parte del flusso, per sentire tutto e non sentire piú niente. Dopo la pasticca è ancora piú facile. Il muro di casse sul palco è la testa di un enorme drago, seguita dai nostri corpi che si agitano indistinti, sciolti l'uno nell'altro.

Quanti saremo? Duemila? Cinquemila? Un milione?

Quante probabilità c'erano che, in mezzo a questa baraonda, io notassi proprio lei?

È seduta su un faro rotto come stesse sul divano del suo soggiorno, ha le gambe accavallate, quella sopra la muove a un ritmo indefinito, una cadenza personalissima che non segue quella della musica. Ipnotica. Non è bella, almeno non a una prima occhiata. Ha le spalle strette e i fianchi larghi ed è visibilmente sovrappeso. Non è alta. Ha i capelli molto corti, scuri. In piú, sembra vestita in un modo casuale, quasi non le importasse. Sprofondata in un maglione maschile di tre taglie piú grande, indossa jeans logori e vecchie sneakers. È il contrario di Elena, che pareva uscita da una rivista di moda, mai una virgola fuori posto, abiti sempre coordinati, in palestra cinque giorni su sette. Eppure non riesco a smettere di guardarla. Perché?

Forse proprio perché appare diversa da tutto. Non solo da tutto quel che conosco. Anche qui, in mezzo a orde di gente tatuata, bucata, rasata, dipinta, ha allo stesso tempo l'aria di una che si sente a casa e il candore di una bambina che gioca in un prato.

Si volta di colpo nella mia direzione, mi fissa, la fisso anch'io. La cosa dura un paio di secondi di troppo. Entrambi distogliamo lo sguardo.

– Frate, vieni che devo pisciare! – urla Paolo sbucando dalla folla, nel tentativo di superare con la sua voce i decibel delle casse. Urlo anch'io.

– Che c'è, vuoi che venga a tenertelo?!

– E accompagnami, dài! Che ai chimici c'è coda!

Lo faccio controvoglia, ci allontaniamo verso l'esterno del capannone, mi giro un'ultima volta a guardarla. Sta parlando con un tizio magro e altissimo, con un dilatatore nel naso e una cresta di capelli verdi sparati in aria. La vedo ridere. Scompaio nel buio con questa fotografia in testa.

Paolo piscia contro una specie di albero o un lampione spento, non so, il viso illuminato dal bagliore della sigaretta che gli pende dalle labbra.

– Cazzo, non finisco piú.

– Non posso manco farti un video e spararlo sul tubo, verrebbe troppo lungo.

– Comunque oh, la birra qui fa proprio cagare.

– Alla prossima ce la portiamo da casa.

Ridiamo.

Quando torniamo dentro, la ragazza non c'è piú. Mi guardo attorno, cercando di superare la miriade di teste che ondeggiano indifferenti, ma niente. Che ti credevi?, mi dico. È una festa con migliaia di persone, qui è piú facile ritrovare una lattina dove l'avevi appoggiata, piuttosto che incontrare due volte la stessa tipa.

– Che avevi da guardare?! – urla la voce alle mie spalle.

Mi giro di scatto.

La ragazza è davanti a me.

Da vicino sembra piú minuta. La corporatura morbida e i capelli nerissimi e folti, dal taglio maschile, fanno a pugni con i suoi occhi grandi, da cartone animato, che brillano intermittenti sotto la luce dei fari.

– Allora?! Che guardavi?! – urla ancora.

– Io, ah, sto cercando il mio amico!

– No, intendo prima!

– Prima?!

– Prima, sí, o vorresti negare che mi stavi fissando?!

– Io, veramente... è che... cioè sí, un po' è vero, ti stavo fissando, – balbetto. – Ma non nel senso che credi tu!

– E in quale senso credo, io?!

– E poi è che sono miope!

– Miope?!

– Sí! Cioè, sembra che guardo, ma in realtà da lontano non vedo un cazzo!

– Capisco! Peccato.

– Come, peccato?

– Peccato, perché io invece ti stavo fissando sul serio!

– Ah!

– Eggià!

– E, scusa, mi fissavi perché?

– Perché sei bello!

– Cosa?!

– Sei bello! Non dirmi che non te l'hanno mai detto!

– No. Cioè. Non cosí, almeno!

– Oddio ti sei imbarazzato, che tenero! – scoppia a ridere.

– No, no, che imbarazzato, è solo...

– Solo cosa?

La guardo. Non è vero che non è bella. È che non ha una bellezza statica, ma è bello vederla muoversi, gesticolare, appropriarsi dello spazio attorno a sé. E ha un viso molto espressivo, aggraziato ma leggermente asimmetrico, quando ride le sue guance fanno una fossetta sola. A sinistra.

– È solo che sono un coglione! – urlo. – Non è vero che sono miope!

– Cosa?!

– SONO UN COGLIONE!

– Ebbene sí, confermo! – urla lei.

– Confermo anch'io! – interviene Paolo alle mie spalle.

Ridiamo tutti e tre, ma con la risata di lei non c'è davvero gara.

– Sentite, usciamo fuori, volete?! – urla la ragazza. – Qui non si riesce a parlare!

– Okay! – urlo io.

– No, voi andate pure! Io voglio ballare! – urla Paolo.

– Vuoi ballare? Ma da quando?! Vieni fuori, deficiente! – urlo mentre cerco di afferrarlo. Non ce n'è bisogno, è lui ad avvicinarsi al mio orecchio.

– Frate, senti, – dice, – non devo gridarti di nuovo davanti a tutti quello che sei, vero? Va' e colpisci, ci vediamo dopo, al massimo ci becchiamo via mex.

La ragazza mi guarda, in attesa di una mossa. Mi tende la sua mano piccola, noto che ha il tre di fiori tatuato sul dorso. La stringo. È ruvida e caldissima.

Mi trascina fuori che non ci siamo nemmeno detti il nome.

– Quindi sei qui di nascosto?

– No, adesso lo sanno. Purtroppo.

– Ed è il tuo primo, vero?

– Si vede cosí tanto?

– Eh, un po' sí.

– Comunque Davide, – dico allungando la mano.

– Gorana.

– È un nome molto… originale.

– Colpa di mio padre. È l'unica cosa che mi abbia lasciato: il nome di nonna.

– L'unica?

– Si è dato quando avevo cinque anni. Io ho vissuto a casa fino ai quindici e adesso da quattro anni sto in giro.

– In giro in che senso?

– Nel senso dove mi porta il vento, piú o meno. A mamma non è che freghi granché se ci sono.

– E dove vivi, scusa?

– Dovunque. A volte mi ospitano, a volte per strada. Il mondo è la mia ostrica, come diceva quellollà.

– Per strada?

– Per strada, fuori, dove capita. Che importa? Ogni città è piena di posti.

– Ma non hai paura?

– Paura di che? Mica sono sola. Ho un sacco di amici che vivono cosí. E poi, di questi tempi, c'è da avere piú paura a vivere sotto il tetto di una felice famigliola tradizionale, stando alle statistiche. Lo sapevi che la maggior parte dei casi di violenza avviene fra le mura domestiche?

– Ah, sí.

Mi rabbuio per un secondo. Se ne accorge.

– Ho toccato un tasto dolente? Paparino è un manesco?

– Ma no, figurati. Magari lo fosse, almeno potrei dare un nome alle cose che fa.

– E che fa?

– Ma non lo so, è sempre incazzato. È un maniaco del controllo. Pretende il massimo. Vorrebbe che tutti seguissimo il suo esempio, solo che a vedere quanto vive di merda lui non è che ti venga troppa voglia, diciamo.

– Be', sai, a volte le persone manifestano l'amore nei modi piú strani.

– Cioè lo manifestano facendoti sentire sbagliato e inutile, come se la tua esistenza fosse un torto che stai facendo a loro?

– Anche, sí. Pare assurdo, è vero, ma so di che parlo. Sai cosa diceva... Dio, non mi ricordo mai se era García Márquez, Coelho o chissà chi altro.

– Mai coperti, perciò vai tranquilla, tanto non mi accorgerò se sbagli.

– Ahahaha, mi piaci quando ti spari le pose da intellettualone. Comunque diceva, vado a memoria, che se una persona non ti ama nel modo in cui tu vorresti, non è detto che non ti ami con tutta sé stessa.

– Vabbe', mi pare un po' una bella scusa. In questa maniera uno può comportarsi da stronzo che tanto è il suo modo di amare?

– Non esageriamo. Credo voglia solo dire che ognuno di noi ha determinati comportamenti che riconosce come amore. E tutto ciò che è fuori da quella frequenza non lo registra. Tipo: lei si sente amata se la inviti fuori a cena e le fai trovare l'anello nella torta, tu invece la porti a mangiare un panino con la mortazza e poi le regali un criceto perché per te non esiste nulla di piú bello che regalare cose vive. Non c'è possibilità di incontro.

– Sei brava con gli esempi, eh?

Ridiamo.

– Sono le prime due cose che mi sono venute in mente, dài. Vedila cosí: forse anche tuo padre penserà che tu sia un figlio che non lo ama, perché non ti comporti secondo il suo codice. Perché non rispetti il suo modo, che è l'unico che conosce. Lui magari sogna per te un presente da studente modello e un futuro da ingegnere nucleare o che ne so. Sono le sue strategie per metterti al sicuro, i padri di solito fanno questo. I padri veri, intendo. Tu invece vieni ai rave di nascosto a sballarti e gli rovini la premura. Saboti la tua vita per fargli dispetto. Insomma, dipende sempre un po' da come la guardi, alla fine.

– Forse io non voglio essere messo al sicuro, però. Forse per me l'amore non dovrebbe entrarci niente coi sensi di colpa e con le aspettative.

– Appunto. Modi diversi. Non c'è una lingua comune. Spesso l'inghippo sta lí.

La fisso. Adesso è lei che sembra rabbuiata.

– C'è un solo linguaggio che è uguale su tutte le frequenze, – aggiunge. – Una roba che non lascia dubbi mai, universalmente chiara.

– Cioè?

– L'indifferenza. Oppure andarsene. Soprattutto quelli che poi si pentono e tornano quando sei riuscita a lasciarti la sofferenza alle spalle. Terribili. Ecco, in quei casi di te non gliene frega un cazzo di sicuro.

Per un attimo penso a Elena, a come sia sparita indifferente a tutto. Anche se lei non si è mai pentita.

– Senti, Davide, mi baci?

Se ne esce cosí, dal nulla, neanche mi stesse offrendo un caffè. Mi guarda con i suoi occhi grandi che il nero del kajal rende ancora piú profondi, vedo scintillare il suo desiderio vivo. Il pensiero di Elena scompare.

– Cosa? Cioè, vuoi dire qui?

– Preferisci davanti ai bagni chimici? Appoggiato a un muro? Sul tetto di un furgone? Scegli tu la location, uomo.

– Ah, no no, – dico. – Qui va benissimo.

Mi mette una mano sulla guancia, come non aspettasse altro. La fa scivolare sulla mia nuca, mi afferra per i capelli e mi tira con forza a sé, liberando una voglia che esplode quasi rabbiosa. Non sono mai stato baciato in questo modo, prima.

– Che bello che sei, – dice staccando la mia testa dalla sua.

– La pianti?

– È la verità, – dice. – Sei cosí... pulito.

– Ma se non mi lavo da tre giorni.

Coglioncello. Intendo che sei limpido. Trasparente. Perfino la tua collera è dritta, serena, d'altri tempi. Sei tipo... Capitan America.

– Capitan America no, dài!

– Ehi. Non lo decidi mica tu chi sei nel mio film.

– Allora posso decidere chi sei tu nel mio?

– Spara.

– *Harry ti presento Sally*, hai presente?

– Lo sapevo, abbiamo un nerd cultore di film d'epoca! Lo vedi che non ci ero andata troppo distante?

– Okay, beccato. Adesso posso dirti chi sei?

– Oddio. Ti prego. Non dirmi Sally. Non-dirmi-Sally!

– Ma no, figurati. Troppo banale.

– Ecco, bravo giovane.

– Tu sei Marie. Sai la scena del taxi dopo l'uscita a quattro?

– Quella in cui lei e Jess prendono il taxi insieme di corsa? E abbandonano gli altri due, pochi istanti dopo aver promesso che non lo avrebbero mai fatto?

– A proposito di nerd, eh? Comunque, sí. Quei dieci secondi del film, per me, dicono tutto quel che c'è da dire.

– Su cosa?

– Be', sul fatto che ci sono situazioni, e persone, che quando arrivano non puoi farle aspettare un secondo di piú. Devi decidere subito che fare. E non è nemmeno una decisione, senti solo che è la cosa giusta per te, – dico. – Ecco, tu... mi fai sentire cosí.

– Hai un bel modo addirittura di fare i complimenti, cazzo.

– Non era un complimento, è la verità.

– No, davvero. Credo sia la cosa piú carina che mi abbiano mai detto. Di solito mi grugniscono o mi indirizzano la mano verso il pacco.

– Maddai, ma che gente frequenti?

– Be', sai, là fuori non sono tutti il principe William. E io cerco di non pormi limiti, di non precludermi possibilità. Diciamo che ho una filosofia tutta mia.

– Sarebbe?

– Se mi capita qualcosa, lascio che accada. Cerco di non avere pregiudizi su niente, perché non sai mai quando la vita potrebbe sorprenderti.

– Potrebbe sorprenderti con una mano sul pacco?

– Se il pacco è quello giusto, perché no?

Ridiamo.

– Invece, stavolta.

– Stavolta che?

– Per la prima volta dopo tanto tempo mi prendo qualcosa che voglio. Non sto a guardare. Quindi, sí, hai ragione: team Marie tutta la vita.

– Io però non voglio essere Capitan America.

– Peccato. Mi sarebbe tanto piaciuto toccare il pacco a un supereroe.

Ridiamo, poi lei mi bacia ancora.

– Allora, andiamo? – dice Paolo agitato. – Abbiamo già perso il bus delle sei e quaranta, è un miracolo se riusciremo a prendere il prossimo e prima abbiamo venti minuti a piedi!

– Sí, – dico, – ancora un momento.

– Dài, non fare quella faccia, – dice lei. – Ci rivedremo presto.

– Ma presto cosa? Che non so neanche dove cercarti, che non hai manco una casa dove stare.

– Tranquillo, che ti trovo io.

– Ma adesso dove andrai?

– Torno con i ragazzi della crew e sto a Milano fino alla fine della settimana, poi vedremo. Magari vengo da te a conoscere paparino, che dici?

– Per lui saresti lo smacco definitivo.

– Ci giriamo una webserie: *Una punkabbestia in famiglia*.

Ride, io mi perdo nella sua fossetta, nel nero sbavato dei suoi occhi.

– Ciao, Marie.

– Ciao, Cap.

– Chissà perché nella vita non c'è quasi mai il lieto fine, – dico.

– Perché la vita è fatta cosí, – dice. – Demmerda.

Ci salutiamo con un bacio che sa di sigarette, vodka alla pesca e birra cattiva. Mi piacerebbe tanto che passasse un taxi a portarci via, come in *Harry ti presento Sally*, invece comincia a piovere.

Sul treno del ritorno non faccio che pensare a lei. So che è inutile, ha quattro anni piú di me, dal suo punto di vista sono solo un ragazzino scemo. L'occasione di una sera. Eppure.

Paolo dorme buttato sui sedili, con la bocca aperta. Decido di riaccendere il telefono, arriva una decina di notifiche di chiamate dei miei, poi due messaggi su WhatsApp.

«Ciao miope, – dice il primo. – Volevo dirti che a noi non ci deve fregare niente dei lieto fine. Ma soltanto degli scintillanti inizi».

Il secondo dice: «Ho deciso che forse ti vengo a beccare già la settimana prossima, sta' in campana e tieni in caldo il taxi», poi il telefono muore per sempre.

Scuoto Paolo.

– Oh, hai un caricabatteria?

Si sveglia, emerge dal fagotto della felpa.

– Che cazzo hai da sorridere? – dice con la voce impastata.

– Niente, stavo pensando alla faccia di mio padre quando ci vedrà, – mento. – Minimo arriverà con i carabinieri in assetto antisommossa.

– Beato te che ti diverti. Mia madre mi ha già detto che non mi faranno uscire fino a Pasqua.

– Paolo, senti, – dico. – Volevo dirti una cosa.

– E mi hai svegliato per questo? Tieni il carica, – dice lanciandomi uno spinotto bianco, il cavo che si srotola in aria come una stella filante. Lo afferro al volo.

– Volevo dirti grazie.

– Grazie?

– Per avermi trascinato. Per avermi convinto a venire.

– Ma grazie de che, – ride. – Se non ti fanno guzzare gli amici te sei senza speranza, la mia è stata solo pietà.

Gli tiro un pugno sulla spalla, ride ancora piú forte, rido anch'io.

Il resto del viaggio lo passiamo a dormire, stanchi e stranamente pacificati.

È quando vengo svegliato dall'annuncio dell'arrivo in stazione che realizzo cos'abbiamo fatto davvero.

Siamo minorenni, siamo stati via di casa due giorni senza dare notizie, sto tornando su un treno diverso da quello che avevo detto, i miei staranno sull'orlo di una crisi di nervi e saranno al binario ad aspettarmi.

La porta si apre, scendo dalla scaletta, mi sento un condannato che si dirige verso il patibolo. Tira un vento malefico che mi costringe a sollevare il cappuccio della felpa, ma una raffica me lo strappa quasi subito. Le prime due persone che incrocio sulla banchina sono una coppia sui cinquanta, immagino marito e moglie, discutono fitto mentre la tempesta infuria intorno a loro. Lui sembra desideroso di convincerla di qualcosa, lei appare titubante. Quasi mi scontro con un vecchio in giacca di velluto blu, che continua a guardarsi attorno come se fosse appena atterrato su Marte.

Solo quando lo supero appare mio padre.

È lí, al binario 1, braccia distese lungo i fianchi e pugni chiusi. Mi fissa in un modo che non ho mai visto prima, mi viene incontro a larghi passi, io mi fermo pronto al peggio.

Quando ce l'ho davanti mi chiede, per prima cosa, se ne è valsa la pena. Proprio cosí.

– Almeno ne è valsa la pena? – dice. Prima della predica, prima della rabbia, prima della delusione, prima di minacciare una punizione che perfino io troverei giusto ricevere.

È una domanda che da lui non mi sarei mai aspettato.

Per un attimo provo quasi il desiderio di raccontargli tutto, della mia necessità di fuga, di Elena la stronza, e di una ragazza dagli occhi grandi che lui di sicuro non approverebbe. Mi tornano in mente le parole di Gorana sui diversi modi di amare, poi il suo messaggio sui lieto fine.

– Sí, – rispondo.

E mi rendo conto che il mio non è un tono di sfida, ma quello di una confidenza.

Osservo mio padre, e ho l'impressione che i suoi occhi stiano dicendo ciò che lui non riesce a dire, due crepe nella fortezza dalle quali si intravede la tenue luce di un interno mai visto.

Prima di scendere le scale solleva una mano in aria, quasi stesse per colpirmi, invece la posa sulla mia spalla, e per un attimo mi sembra che lui non sia l'uomo intransigente e tutto d'un pezzo che ho sempre creduto, forse indossa solo una divisa che gli hanno fatto calzare a forza. Magari fra qualche tempo se ne andrà in giro con un ridicolo berretto giallo e uno zainetto da coglione, come quel tizio di mezz'età per terra, laggiú nell'atrio, che sta cercando di rimettersi in piedi.

È un pensiero che mi strappa un breve sorriso. Papà se ne accorge, per un attimo ho l'impressione che stia sorridendo anche lui.

Non sarà scintillante, ma è di sicuro un inizio.

Giulio e Claudia
(Poi arriva l'amore e ti spezza)

La notte in cui è successo la prima volta, stavo guardando un vecchio film in camera.

Mi capita spesso di guardare la tivú tardi, il volume al minimo per non disturbare mia moglie, i sottotitoli attivi per capirci qualcosa. La sera prendo sonno troppo presto, poi mi sveglio a notte fonda quando è Claudia a dormire e, da lí, non c'è piú verso. Ho provato con la camomilla, il biancospino, la melatonina, infine il medico mi ha prescritto il lorazepam, ma niente: la mia routine è rimasta invariata.

La luce bianca del televisore rischiarava appena il buio della stanza, Claudia mi dava le spalle nel letto e russava – mi ucciderebbe se sapesse che lo sto raccontando. A un certo punto si è interrotta e ha tossito tre volte, l'ultima piú forte.

– Clà? – ho sussurrato mentre, sullo schermo, George Peppard chiedeva a Audrey Hepburn se poteva usare il suo telefono. Ho allungato una mano e le ho accarezzato piano la nuca, lei ha tossito ancora, sembrava che qualcosa le impedisse di respirare bene.

È in quel momento che mi sono girato e l'ho visto.

Il coniglio era lí, rannicchiato fra i capelli di mia moglie.

Subito mi sono spaventato a morte, ho ritirato svelto la mano, prima ancora di avere il tempo di chiedermi cosa ci facesse un coniglio in camera nostra. Ho pensato a un sogno da sveglio e mi sono stropicciato la faccia per qualche secondo, ma non è servito: lo vedevo ancora. Bianco, due occhi rossi che parevano sanguinare, raggomitolato in mezzo ai capelli biondi di Claudia come tra i fili di paglia di una tana, mi fissava con un'espressione che – se me lo avessero chiesto – avrei definito di profonda malinconia.

Sono balzato giú dal letto e ho acceso la luce.

Quando la stanza si è illuminata, il coniglio è scomparso come non ci fosse mai stato.

– Mmmh? Ma che fai? – si è lamentata Claudia, portando il braccio sul viso.

– Avevi un coniglio in testa!

– Cosa?

– Te lo giuro, c'era un coniglio bianco, proprio lí!

– Un coniglio?

– Sí, sí, era fra i tuoi capelli, madonna non hai idea dello spavento!

Claudia si è voltata verso il comodino, l'orologio segnava l'una e quarantasette. Si è tirata su piano, ha puntato il gomito sul cuscino e ha appoggiato il mento alla mano.

– E dove sarebbe, ora, questo coniglio?

– Non lo so, non appena ho acceso la luce è scomparso.

Claudia mi ha fissato, l'occhio sinistro era piú chiuso del destro a causa del sonno.

– Non è che per caso stavi guardando di nuovo *Donnie Darko*, vero?

– Ma no!

– Giulio, senti, è ora di fare qualcosa per questa tua insonnia, intendo qualcosa di serio. Perché se cominciamo anche con le allucinazioni non va mica bene.

– Ma non era una...

– Adesso però spegni 'sta luce, per piacere, che domattina ho una revisione contabile alle nove e prima c'è da accompagnare Filippo alla fermata e Martina a fare le analisi. Già che ci sei, spegni anche la tivú e prova a dormire, dài.

Claudia si è girata, io ho ubbidito ma ho continuato a lungo a fissare la sua testa al buio, come in attesa di un'apparizione. Dopo un po', mi sono arreso e sono andato in cucina a prepararmi una tisana alla passiflora. L'erborista, due giorni prima, mi aveva giurato che per rilassarsi non esiste rimedio migliore, altro che la robaccia chimica delle farmacie. Io volevo fidarmi con tutto me stesso. Per fidarmi meglio, ci ho buttato giú insieme mezzo bicchiere di bourbon.

La seconda volta che è successo, avevamo invitato Marzia e Roberto a cena. Mentre ci preparavamo per la serata, io mi sono lamentato di non riuscire a trovare il maglione beige nell'armadio.

– È in lavanderia, – ha detto Claudia, guardandosi nello specchio del bagno.

– Okay, allora scendo a prenderlo, è in asciugatrice?

– No, non l'ho ancora lavato.

– Come non l'hai lavato? E perché?

– Perché non me lo hai chiesto?

– Cioè, dovevo chiedertelo? Era nella cesta dei panni sporchi da lunedí scorso, dovevo metterci su un cartello?

Claudia si è voltata verso di me, la riga dell'eye-liner tracciata solo sull'occhio sinistro e il pennellino in mano.

– Giulio, quel maglione prevede un ammollo preventivo in acqua fredda, – ha detto. – Va lavato a parte, non lo posso buttare in lavatrice col resto della roba, gli faccio fare un giro di centrifuga alla fine solo per sgocciolarlo. Quindi, sí, dovevi dirmelo e farmi presente la tua sollecitudine. Altrimenti io, che fra parentesi sono l'unica in questa casa a occuparsi delle lavatrici, stabilisco delle priorità mie sull'urgenza dei vestiti.

Ho riconosciuto subito il tono.

Quando Claudia si irrita le viene quella che chiamo la voce da ufficio. La voce da ufficio consiste in un'intonazione apparentemente melliflua, priva di increspature, e nell'utilizzo di termini specifici. Priorità. Urgenza. Sollecitudine. Un giorno se n'era uscita addirittura con «prolegomeni», io non conoscevo la parola e lei aveva riso. Odio quella voce, quando la sento sembra che Claudia tratti la gestione della nostra famiglia come una tabella da commercialista delle sue. Cose giuste a sinistra, cose sbagliate a destra, trova le percentuali di riga e di colonna. Ho capito che non era il caso di proseguire, non volevo rovinare la serata per un maglione. Mi è sfuggito un riflesso difensivo.

– Comunque io non faccio lavatrici solo perché tu, la lavatrice, non me la fai piú toccare.

Claudia, che stava ripassando anche l'occhio destro con l'eye-liner, si è fermata.

– Io non te la faccio piú toccare da quando, in ben due occasioni, hai mischiato i rossi con i bianchi costringendoci a buttare mezzo bucato. E per non dire di quando hai messo la candeggina al posto del detersivo.

– Ma sono cose che possono succedere, su, – ho detto bonario, nel tentativo di stemperare.

– Possono, ma non devono, – ha detto lei. – E poi non si tratta solo di questo.

– E cioè?

– Lo sai.

– Eh?

– Lo *sai*.

– Giuro di no.

Claudia ha posato il pennellino sul bordo del lavabo e si è voltata ancora verso di me.

– È che soprattutto, soprattutto, odio l'aria da eroe che metti su ogni volta, come se dovessi darti un premio per avere riempito un cestello di panni e schiacciato un cazzo di bottone, o per avere infilato in un cassetto un paio di calzini, o per esserti fermato al supermercato a comprare la carta igienica. Della marca sbagliata.

La voce da ufficio è scomparsa e ha lasciato il posto a un'acredine che non riuscivo a spiegarmi. Sembrava stesse proseguendo un lungo discorso al quale io non avevo mai partecipato.

– Aria da eroe? – ho detto. – Quando? Eroe perché cerco di aiutarti nelle tue faccende?

Claudia mi ha fulminato.

– Le *mie*?

– Ossignore. Sono tue per forza, se non ti va mai bene niente di quel che faccio! Le nostre, va bene?

– Giulio, ti prego. Chiudiamo questa conversazione. Ora.

Mi sono ammutolito all'istante. Ma non è stato per la richiesta di Claudia.

Accanto a lei, che mi fissava con aria risoluta, c'era di nuovo il coniglio bianco.

Se ne stava appollaiato sulla sua spalla come un grosso corvo. Era sempre lo stesso, ma pareva piú alto, come un bambino che rivedi a distanza di anni. Mi guardava con un'aria mesta e dolente, sembrava sull'orlo delle lacrime.

– Clà.

– Cosa?

– Dimmi che lo vedi anche tu, per favore.

Claudia si è guardata attorno, poi è ritornata su di me.

– Vedere COSA?

Nel momento in cui ha alzato la voce, hanno suonato alla porta e il coniglio è scomparso.

– Oddio, eccoli! Vai tu ad aprire, devo finire qui! – ha detto.

Io sono rimasto immobile. Fissavo il vuoto che, fino a due secondi prima, era occupato dal coniglio.

– Giulio!

– Ah, sí, – ho balbettato.

– E mettiti il golf verde, è nel secondo cassetto dell'armadio, – mi ha raccomandato. – Con quei pantaloni sta bene uguale.

La terza volta è accaduto di sabato pomeriggio.

I ragazzi erano fuori, io ero appena rientrato dal pranzo di compleanno di un amico, Claudia leggeva un libro seduta sul tappeto del soggiorno.

– Cosa leggi? – ho chiesto entrando nella stanza. Mi ha mostrato la copertina.

– Ne ho sentito parlare, com'è? – ho detto sedendomi accanto a lei.

– Mh. Avevo aspettative alte, invece è solo un romanzetto rosa travestito. Ma ormai lo devo finire.

– Perché *devi*?

– Perché non si abbandona una storia a metà, – ha detto.

Ho sorriso e ho pensato che era tipico di Claudia. Finire sempre ciò che si è cominciato, arrivare in fondo, non tralasciare alcun dettaglio, perché la svolta potrebbe arrivare quando meno te lo aspetti. Mentre guardavo il suo profilo in controluce, ho provato un misto di tenerezza e di eccitazione. Mi sono avvicinato, ho inclinato la testa e l'ho baciata sul collo.

– Eddài, su, – ha detto alzando una spalla.

L'ho guardata perplesso.

– Lo sai che lí mi dà fastidio, – si è giustificata.

– Ti dà fastidio da quando?

– Da sempre, – ha detto con tono meravigliato.

– Scusa, ma io con chi ho vissuto per tutto questo tempo? – ho detto, e ho pensato ai baci sul collo che le avevo dato negli anni, senza accorgermi di niente.

Claudia non ha risposto.

– Ti dà fastidio anche qui? – Le ho baciato piano una spalla.

Lei ha sospirato e ha chiuso per un attimo il libro.

– Senti, Giulio, oggi davvero no, okay? Poi sai di alcol, – e mi ha passato rapida una mano sulla guancia, come per risarcirmi della sua uscita un po' brusca. Ha riaperto il romanzo, voleva solo continuare a leggere.

Sono rimasto seduto in silenzio, mi sentivo le tempie pulsare. Ricordo di aver pensato che i ragazzi non erano quasi mai fuori insieme, che un'occasione come quella non si sarebbe ripresentata tanto presto, possibile che lei non lo considerasse? In un matrimonio, l'opportunità dovrebbe contare quanto il desiderio, no? Mi feriva l'idea che mia moglie preferisse proseguire la lettura di un libro che non le piaceva nemmeno, piuttosto che stare con me. Il vento agitava le tende attraverso la finestra socchiusa, la luce obliqua del pomeriggio disegnava le nostre due ombre sul tappeto. A un certo punto, senza preavviso, le nostre ombre sono state inghiottite da un'altra. Claudia non si è mossa, pareva non essersi accorta di niente, io invece mi sono girato.

Il coniglio bianco stava seduto dietro di noi, dandoci le spalle. Era piú grande della volta prima, sono sicuro. Quando mi ha guardato, mi sono accorto che piangeva.

Volevo dirlo a Claudia, ma sapevo che avrebbe dato la colpa al vino. Perciò ho chiuso gli occhi e basta, serrandoli forte. Quando li ho riaperti, il coniglio non c'era piú, ma avevo il dorso della mano bagnato.

Nelle settimane successive, mi è capitato di rivedere il coniglio in diversi momenti.

Di notte, se ero sveglio da solo, oppure in occasione di piccole incomprensioni tra me e Claudia, insomma di cose senza troppa importanza. Ogni volta il coniglio cresceva, ogni volta lei sembrava non notare la sua presenza. Ne ho avuto la conferma definitiva una decina di giorni fa.

La mia auto era dal meccanico per la revisione. Claudia doveva andare a fare la spesa e poi passare da sua madre, ma la sera prima aveva lasciato la sua Clio parcheggiata in giardino con le chiavi inserite nel quadro. Le si era scaricata la batteria. Ho suonato al vicino e l'abbiamo fatta ripartire coi cavi, poi io e Claudia siamo andati a fare un giretto per dare un po' di fiato all'auto. Ho fatto tutto il viaggio con un vago senso di terrore, consapevole che se ci fossimo fermati troppo presto l'auto sarebbe potuta non ripartire. Mentre eravamo in giro, senza dover andare davvero da nessuna parte, pensavo a quanto era che non stavamo in auto cosí, insieme, senza una meta precisa. Solo per il gusto di andare. E mi è venuto in mente, non so perché, quante cose diamo per scontate nella nostra vita. Che quando spegniamo l'auto poi riparta. Di risvegliarci la mattina quando andiamo a dormire la sera. Che un respiro segua il precedente. Che l'amore investito ritorni. Guidavo e guardavo la strada e questo pensiero mi ha portato una tristezza profonda e senza rimedio.

È stato allora che, nello specchietto, ho notato la sagoma sui sedili dietro.

Era lui. Era con noi.

Non mi sono scomposto, non ho urlato: «Eccolo!» ma ho chiesto a Claudia se, per favore, poteva prendermi le chiavi di casa che avevo gettato sul sedile posteriore. Naturalmente, non c'era nessuna chiave, volevo soltanto che lei vedesse il coniglio. Claudia si è voltata.

– Qui non c'è niente, – ha detto, – forse saranno finite sotto i tappetini.

Da quel giorno ho smesso di parlargliene. Non volevo che mi prendesse per pazzo.

– E adesso è qui, – dice la psicologa.

– Già.

– Ma è qui per l'insonnia o per il coniglio?

– Sono qui per entrambi, penso. Mi sono fatto, non so, l'idea che possano essere collegati.

– Magari è cosí.

– E poi c'è un'altra cosa.

– Mi dica.

– Però non so se c'entri o che.

– Lasci che sia io a valutarlo.

– Mi rendo conto che non mi piace l'uomo che il matrimonio mi ha fatto diventare. Negli ultimi anni, almeno.

– Questo è interessante. Cosa non le piace?

– Non mi piace non capire Claudia. Piú del fatto che lei non capisca me. Non mi piace provare, certi giorni, quasi sollievo per questo. Perché sapere di non capirsi rende le cose piú semplici, come dopo una resa. Ti impigrisce. Sai che rinuncerai in partenza, che hai già rinunciato. Che, a parte qualche scaramuccia, la guerra è finita.

– La guerra?

– Guerra è la parola sbagliata. Diciamo desiderio di confrontarsi, okay? Di essere un'occasione l'uno per l'altra. Voglio dire: io credo di essere un buon padre, per esempio. Perlomeno un padre decente. E sono piuttosto bravo nel mio lavoro, anche se sostenerlo di un impiegato delle poste potrebbe far sorridere qualcuno. E un amico leale, insomma provo a fare del mio meglio. Con mia moglie, invece, mi sento spesso… Come faccio a dirlo?

– Lo dica e basta.

– Ha presente la frase di quello scrittore? Quella che dice, piú o meno, che non è mica vero che l'amore è l'unione di due anime? Che tu prima dell'amore sei integro, uno, intero. E poi arriva l'amore e ti spezza?

– Sí. Mi pare sia di Philip Roth.

– Ecco: quando ho incontrato Claudia, mi sono sentito proprio in quel modo. E sono stato cosí contento di essere spezzato a metà. Perché da quella frattura è nato qualcosa che prima non c'era. Non mi avventuro a dire che Claudia abbia tirato fuori il *vero* me, ma la nostra relazione mi ha comunque messo di fronte a una parte di me che non conoscevo. A qualcosa che, prima di lei, nessuno era riuscito a mostrarmi.

– L'amore fa questo, certe volte. E ora quella parte non le piace piú?

– No, anzi. Ma ogni tanto mi sembra che prenda il sopravvento il me di prima, non so se mi spiego. Di piú: ho l'impressione che per Claudia sia lo stesso. È come se…

– Come se?

– Come se qualcosa, dentro di noi, volesse farci tornare interi. Come se ristagnasse un rancore e quel qualcosa, ogni tanto, rivendicasse la sua esistenza.

La psicologa rimane immobile, considera il da farsi.

– Allora, posso dirle due cose.

– Vada.

– La prima è che lei ha una capacità di autoanalisi notevole.

– Uh, è un bene?

– Certamente. Però, come tutte le persone intuitive, lei riconosce il problema ma non sa dargli un nome. E fino a quando non ci riuscirà, proverà l'angoscia che mi ha descritto.

– Un nome?

– La seconda: conosce l'espressione «l'elefante nella stanza»?

– Credo. Cioè, l'ho già sentita.

– Sa cosa significa?

– Non ne sono sicuro.

– È un'espressione che si usa per indicare una verità che, per quanto ovvia e appariscente, viene ignorata o minimizzata. L'espressione si riferisce a un problema noto, ma di cui nessuno vuole discutere davvero.

– Sí, okay. Però io vedo un coniglio, non un elefante.

– Non importa.

– Che vuol dire non importa? E poi: perché lo vedo solo io?

– Perché c'è sempre uno dei due che riconosce i segnali per primo.

– I segnali? I segnali di che?

– Abbiamo finito il tempo, – dice. – Ci pensi che la prossima volta ne parliamo.

Giulio esce dallo studio della psicologa in un vortice di pensieri confusi. Quando torna a casa, Claudia è ancora in ufficio, i ragazzi invece sono lí.

– Papà!

– Ciao, amore. Qui tutto bene?

– Sí, anche se mamma mi ha lasciato da riordinare l'armadio, uffa!

– Vuoi una mano?

– Non posso, se ne accorgerebbe da come pieghi le magliette, e poi mi sentirei tutta la predica sulla responsabilità del portare a termine un compito assegnato eccetera. E non ho caz… cioè, insomma, voglia.

Giulio sorride, sa che Martina ha ragione.

– Filippo?

– Sta facendo ripetizioni di mate on line.

– Almeno uno dei due ha preso da me, a quanto pare. Povero.

– Povero lui? E io, allora? – dice Martina, esibendo una pila di cappotti.

Giulio guarda sua figlia, si avvicina per farle una carezza che lei sfugge inclinando la testa. Gli tornano in mente i post-it adesivi che gli lasciava da piccola sull'attaccapanni, quelli con scritto «Non appendermi il giubbino troppo in alto, che non ci arrivo!» e Giulio che glielo metteva in alto apposta, cosí lei era costretta a farselo prendere. Perché, anche se non gliel'ha mai detto, temeva il giorno in cui lei non avrebbe avuto piú bisogno di lui.

Be', ecco qua, pensa Giulio. Martina che fa colazione senza alzare la testa dalla sua scodella di cereali, Martina che non chiede piú aiuto per fare le divisioni in colonna, Martina che riordina da sola l'armadio grande. Martina che dice «cazzo». E poi Filippo. Che ha iniziato a fumare, anche se Claudia non lo ha ancora scoperto. Che ha portato una ragazza a casa senza dire nulla a nessuno. Che è cresciuto di quindici centimetri in sei mesi. Per quanto come padre si sia sforzato di stare attento, di non perdersi niente, gli sembra che tutti questi cambiamenti siano accaduti in una specie di spazio invisibile, dal quale Giulio si è sentito irrimediabilmente escluso. Forse la paternità non è che questo, pensa. Accettare che le cose accadano senza di te.

– Ordiniamo cinese, stasera?

– No, papà, sai che quando la mamma deve partire non vuole. Dice che il giorno dopo, con la sua colite, potrebbe star male in viaggio.

– Quale viaggio?

– La revisione contabile in quella grossa azienda di Torino. Partirà domani, starà via tre o quattro giorni. Dovrai accompagnarla in stazione, mi sa.

– Madonna, mi ero proprio scordato!

– Tranquillo, che non glielo dico.

Giulio e Claudia sono in macchina, è da poco passata l'una, il cielo è spazzato da un vento cattivo che fa ondeggiare gli alberi come mani a un concerto. Negli ultimi giorni è stato sempre cosí. Claudia sta ripassando alcune note sul suo quaderno, cerchia qualche cifra con una biro verde. Quando la stazione è ormai vicina, chiude il quaderno e alza la testa.

– Com'è andata la notte? – chiede.

– Tutto liscio, non ho quasi dormito. Al solito.

– Giulio, adesso basta però, devi affrontare questa cosa di petto, non puoi piú lasciar correre.

– Non lo faccio, credimi.

– Non mi pare.

Lui ci riflette bene prima di dirglielo. Aveva deciso che sarebbe stata una cosa solo sua.

– Ieri sono stato da una psicologa.

– Eh?

– Sono stato a parlare con una psicologa. Una psicoterapeuta, in verità. Lo sapevi che non è mica lo stesso?

– E me lo dici cosí? In auto prima di partire? E che ti ha detto?

– Che sono intuitivo.

– Tu?

– Te lo giuro. Poi mi ha parlato di un elefante.

– Ma sei serio?

– Serissimo.

– Ma chi è questa? Dove l'hai trovata?

– Aspetta, laggiú c'è un parcheggio.

– Ma non ti ha prescritto niente? E ti ha detto da che potevano dipendere le visioni che avevi?

– Non può prescrivermi nulla, Clà, non è un medico. Un attimo e ti dico tutto.

Giulio infila l'auto nel posteggio con un'unica, fluida manovra. Scende, apre il baule, prende il bagaglio di Claudia. Non le dice che vede il coniglio seduto, sopra la valigia, non le dice che lo ha visto brillare al buio, ai piedi del loro letto, per tutta la notte. Sta per riprendere il discorso, quando il telefono di Claudia squilla.

– Pronto?

Giulio si tira dietro il trolley senza girarsi. Sa che lui è lí. Non vuole vederlo ancora, non vuole incrociare quegli occhi disperati.

– Sí, dovrei esserci per le sedici e trenta, salvo imprevisti. Almeno possiamo già dare un'occhiata alle carte e domani siamo pronti.

Entrano in stazione, Claudia si avvia decisa al binario infilandosi tra un tizio con un berretto giallo e uno zaino da ragazzina e una coppia di anziani che trascinano tre valigie troppo grandi. Mentre imboccano le scale, un uomo di mezz'età ben vestito li supera, facendo i gradini tre al colpo. Questa sí che è fretta, pensa Giulio.

– Stavolta lo ammazzo! – dice l'uomo.

– Okay, allora davanti alla Feltrinelli, – dice Claudia chiudendo la telefonata, proprio quando sbucano al binario.

– Non credere di cavartela in questo modo, sai? – lo incalza subito, rimettendo il telefono in borsa. – E quindi?

– Quindi sono giunto a una conclusione.

– Cioè?

– E cioè non partire. Per favore.

– Cosa?

– Non partire, Clà. Io non so come spiegarti, ma... Ho la sensazione che, se salirai su questo treno, se passeremo anche un solo altro minuto senza dirci la verità, per noi sarà la fine.

– Giulio, ma che dici? La fine di che? La verità su cosa? Si può sapere cos'hai, oggi? Si tratta di qualcosa che ti ha detto ieri quella tizia?

– No. Cioè, non solo. Ma hai presente quando, all'improvviso, ti compare in testa il pezzo mancante del puzzle?

– Quale pezzo? Che puzzle?

– Ci ho pensato tutta la notte. Credo si tratti dei prolegomeni.

– Cosa?

– I prolegomeni. L'esposizione preliminare dei principi o proposizioni fondamentali di una dottrina o di una disciplina, che s'intende svolgere piú sistematicamente, altrove o in seguito.

Claudia lo guarda interdetta.

– Conosco la definizione. Ma che c'entra?

– Posso esporti la mia?

– La mia, che?

– La mia dottrina, quella che intendo svolgere piú sistematicamente.

– Adesso mi stai spaventando.

Giulio prende un respiro che pare una rincorsa.

– Ho deciso che voglio amarti meglio.

Lei lo guarda, inarca entrambe le sopracciglia.

– Meglio che posso, voglio dire, – aggiunge Giulio. – Te lo prometto.

– È una promessa pericolosa, – dice Claudia.

Giulio inspira ancora, poi butta fuori l'aria tutta insieme.

– Senti, Clà, io non lo so in quale punto preciso ci siamo persi, quando abbiamo cominciato a chiuderci dentro con la scusa dei ragazzi, della casa, del lavoro, di qualunque cosa che sembra sempre piú importante di noi, ma io ci rivoglio indietro.

Claudia lo fissa in silenzio.

– Voglio dire che ci siamo abituati l'uno all'altra. Alla routine, ai figli che già stanno diventando degli estranei, a considerare il nostro matrimonio un'auto abbandonata in giardino con la batteria scarica. Abbiamo smesso da un pezzo di fare l'amore al mattino, la sera siamo sempre troppo stanchi, abbiamo smesso di parlare dei nostri sogni, dei nostri sentimenti, le nostre discussioni piú appassionate riguardano sempre le *cose*. Abbiamo smesso di ricordarci perché ci amavamo. Cosa ci è successo? Come abbiamo fatto a credere di essere troppo impegnati per questo?

Claudia non gli risponde subito, sembra pensierosa. Giulio segue lo sguardo di sua moglie e attraverso i vetri della sala d'aspetto nota una donna anziana, seduta con tre borse della spesa ai piedi. Ha un'aria terribilmente triste.

– È successo che ciò che consideravamo ovvio è scomparso sotto montagne di biancheria sporca, e notti insonni, e figli da accompagnare ai corsi, e poi insistere perché facciano i compiti, e insistere perché si lavino i denti, e insistere perché riordinino le loro camere, e insistere con te perché tu riesca a ricordarti una marca di carta igienica o che il detersivo va nel cassettino di sinistra. È successo che tu guardi film da solo e che io leggo libri che non mi piacciono, perché qualunque storia è meglio di nessuna storia. Non è questa la vita che volevamo. Ma è questa la vita che abbiamo.

Giulio ammutolisce per qualche secondo davanti alla sua donna, che lo sovrasta come il peso di una condanna. Dietro di lei, un coniglio alto poco meno di un adulto lo fissa con due occhi rossi enormi, serissimi.

– Bene, – dice Giulio, – e allora decidiamo che farne, di questa vita insieme. Perché a me non importa di passarla indossando magliette rosa o maglioni beige sporchi. Non m'importa se i ragazzi, ogni tanto, salteranno qualche compito, o se ci puliremo il culo con le foglie, o se io non dormirò mai piú una notte di fila. Pazienza. Ma voglio che c'importi del resto. Voglio che c'importi di noi. Voglio che tu mi spezzi ancora, senza sentire il desiderio di proteggerti da me.

– Giulio, io...

– No, no, aspetta. Credo di avere capito la cosa dell'insonnia, sai? Insomma, dell'elefante o del coniglio o quel che è. Si tratta di un avvertimento, come quando i topi cominciano ad abbandonare la nave. Si tratta del fatto che anche se viviamo insieme non significa che siamo al sicuro, Clà. Crediamo di sí, crediamo che basterà. Ma non è cosí. Arriverà un giorno in cui penserai che non ti amo piú, o viceversa. Un giorno in cui ci stancheremo di restare in attesa che le cose cambino. Un giorno in cui i nostri figli se ne andranno senza manco salutare. Un giorno in cui sarà troppo tardi.

Guarda sua moglie che non parla, ma è come se lo facesse. Si aspetta una reazione. Anche il coniglio sembra immobile, pietrificato, in attesa.

– Giulio.

– Dimmi.

– Io non posso credere che stiamo parlando di questo adesso, al binario, mentre sto partendo.

– Be', non partire e lo faremo mentre resti.

– Oltretutto, non ho mai sentito la tua lingua andare tanto svelta in quattordici anni di matrimonio.

– E non hai ancora visto niente.

Claudia fa per replicare, ma Giulio le chiude la bocca con un bacio. Lei sgrana gli occhi. Di solito si salutano con un bacio frettoloso, a fior di labbra. Oppure sulla guancia. Oggi no. Oggi, Claudia percepisce nella bocca di suo marito una tale irruenza e disperazione che, per un attimo, vi si arrende con tutto il corpo.

– Questo sí... che è salutarsi prima di una partenza, – dice Claudia.

– Non è un saluto, – dice Giulio. – È un invito.

La voce nell'altoparlante annuncia l'arrivo del treno. Claudia mette d'istinto la mano sul trolley.

– Un invito per cosa? – chiede incuriosita.

– Saliamo in auto e andiamo finché ne abbiamo voglia, come quando ci fermavamo a pranzare nei paesini che incontravamo, senza averli cercati, ti ricordi? San Benedetto Po. Corciano. Quel pesce meraviglioso che abbiamo mangiato a Dolo, in quella stamberga sul fiume. Ricominciamo da quei due là. Facciamoli respirare un po'. Se lo meritano.

– È una bella idea, – dice Claudia, – però per pranzare è tardi, sono le tredici e quarantuno e il mio treno è qui.

Giulio fissa il coniglio dietro sua moglie. Le tiene le zampe sulle spalle, minaccioso. Adesso è piú alto di lei.

– E poi io avrei un altro piano, – dice Claudia.

– Un altro...?

– I ragazzi oggi sono a scuola fino alle quattro e mezza, – dice. – Torniamo a casa. Magari potremmo ricominciare dai pomeriggi.

Giulio sospira, incredulo. Il vento forte scompiglia i capelli biondi di Claudia, lasciando intravedere un accenno di ricrescita. Non sa perché, ma si sente d'un tratto confortato dalle radici dei capelli di sua moglie, gli ricordano gli anni che hanno passato insieme. Quelli che forse ci saranno ancora.

– Fammi avvisare, però. E inventare una scusa credibile, – aggiunge lei. – Per Torino partirò domattina presto, semmai.

– Semmai?

– Giulio, va bene amarci meglio, – dice, – ma anche amarci con un lavoro potrebbe essere utile.

Il capotreno fischia, a Giulio quel suono ricorda sempre la fine di una partita. Oppure l'inizio. Pensa che stavolta sono vere entrambe le cose. Prende il viso di Claudia e la bacia ancora, lei si aggrappa alle maniche del cappotto di Giulio e a lui sembra che le mani di sua moglie dicano: «Eccoti di nuovo, finalmente». Magari è solo un'impressione sua.

Posso farlo, possiamo farcela, pensa Giulio. Possiamo vivere questa vita, c'è ancora una scintilla che dobbiamo alimentare, un crepitio elettrico nella batteria di una macchina ferma da troppo tempo. Ora si tratta soltanto di farla andare.

Si prendono sottobraccio e si avviano verso le scale.

– Oddio, il trolley! – si ricorda Claudia all'ultimo. Si volta per tornare a recuperarlo.

Si volta anche Giulio, nell'attimo preciso in cui il treno comincia a muoversi.

Solo allora lo nota.

Nella terza carrozza, affacciato al finestrino, un enorme coniglio bianco dagli occhi rossi lo saluta agitando in aria una zampa.

Prima di scomparire, Giulio giurerebbe di averlo visto sorridere.

Vale
(Voltati e vedimi)

Giò ha detto che non dobbiamo piú vederci.

Che è la cosa migliore, che lo sappiamo entrambi che non funziona. Io ho detto di sí, ho detto va bene. Avrei voluto urlare e mettermi in ginocchio e abbracciargli le gambe e supplicarlo di tenermi ancora, anche insieme alle altre, anche solo quando non avrà di meglio da fare, invece sono stata ferma, sono stata zitta. Se lo avessi implorato mi avrebbe fissata con quello sguardo, quella compassione che ben conosco, e pure con un po' di schifo. E lo schifo non lo avrei retto. Ho detto va bene e lui mi ha stretta un attimo, perché non gli vedessi il sollievo in faccia, ma io l'ho avvertito lo stesso.

«È l'ultima volta che lo abbraccio», ho pensato.

Ed era un pensiero sopportabile, era stato sopportabile l'ultimo bacio, era stata sopportabile l'ultima volta che lo avevamo fatto, mentre lui non ne aveva voglia e a malapena mi sfiorava. Tutto sarebbe stato sopportabile, da quel giorno in avanti, anche scomparire dalle sue foto su Instagram, anche vederlo apparire in quelle delle altre, perfino le voci che mi sarebbero arrivate, perché c'è sempre chi non aspetta altro.

Ma non vederlo piú, quello no.

Non vederlo è un dolore urticante che mi attraversa il corpo al solo pensiero.

– Vuoi l'elemosina, – mi dicono Antonia e Giusi, ma loro non capiscono.

Non si tratta di questo. È bisogno. È ossigeno. Se non lo vedo mi sembra di trattenere il respiro nella palude delle mie giornate che si ripetono come fosse sempre la stessa, e non si può vivere in apnea. In fondo, chi ha detto che per avere una relazione sia necessario essere in due? Basta che ci sia una traccia che entrambi seguiamo, un solco percorso dai nostri passi, i suoi prima dei miei.

Giò prende il treno delle sette e cinquanta ogni mattina, e io a quell'ora sono già a scuola.

Ho provato a trovare una scusa per poter tardare tutti i giorni di cinque minuti, cambiare autobus, arrivare in stazione appena in tempo per sbirciarlo al binario, poco prima che lui salga, ma è un piano che non funziona, senza contare che rischierebbe di accorgersene, potrebbe scoprirmi. E io non voglio che Giò mi scopra. Non voglio che mi creda una stalker, una pazza, una povera tizia patetica che non accetta di essere stata mollata. Non li voglio, quello sguardo, la compassione, lo schifo, non li voglio, no.

Per questo ho deciso di aspettarlo al treno del ritorno. Quello del ritorno è piú sicuro.

Giò arriva al binario 1, con il treno delle tredici e quarantadue. Lo so perché ogni tanto ha provato a prendere quello precedente, ma per farlo dovrebbe alzarsi dalla lezione di anatomia in anticipo, e il professor Silvestri è uno che si incazza se te ne vai prima. Per riuscire a vederlo esco da scuola alle tredici e cinque e raggiungo la stazione a piedi. Ci metto circa tredici minuti, dipende da quanto veloce vado o se incontro qualcuno che conosco per strada. Non voglio che capiscano dove sto andando, se incrocio amici comuni tiro dritta senza deviare su per la salita che porta ai treni, e poi mi tocca fare tutto il giro per tornare indietro.

Appena arrivo al parcheggio, ho circa dieci minuti per trovare la sua auto. È una Seat Ibiza argentata, piuttosto vecchia, era di suo fratello che gliel'ha passata l'anno della patente. La riconosco sempre, anche da lontano, mi basta un dettaglio: il tettuccio sbeccato da quella notte che Giò ci fece cadere una bottiglia di vino, lo specchietto con l'adesivo dei Simpson, i cerchioni delle ruote. Mi avvicino, la tocco piano, l'auto di Giò è sempre sporca e io non voglio lasciare ditate o impronte. Non le riconoscerebbe – come potrebbe? –, ma non si sa mai. Guardo dai finestrini cosa c'è sul sedile, se sul tappetino ha qualche scontrino della sera prima, a volte riesco perfino a leggere dov'è andato: faccio la foto al pezzo di carta e poi a casa lo ingrandisco fino a scoprire l'orario. Altre volte invece gli scontrini sono a faccia in giú, ma io li fotografo lo stesso. Quando ho finito il giro, metto la mano sulla maniglia della portiera. Lí dove so che metterà la sua.

«Ciao Giò, sono la Vale», penso. Qualche volta ci appoggio un bacio sopra.

Poi salgo in sala d'aspetto. La sala d'aspetto della stazione è al primo piano, non è molto grande, è abbastanza sporca, e c'è sempre qualcuno che aspetta i treni dopo, quelli che portano ai lavori serali o notturni. È gente con gli occhi spenti e la faccia stanca e l'aria di quelli a cui la vita è venuta male. Magari a loro sembro cosí anch'io, non so, con la mia coda di cavallo e lo sguardo vuoto. Oggi c'è solo una donna piena di borse della spesa, poi entra un balordo con un berretto giallo e lo zaino di Pucca che cerca di far funzionare la macchinetta dei caffè. È inutile, non funziona mai, mi chiede perfino se ho da cambiare delle monete, forse vuole l'elemosina, io invece voglio solo che se ne vada, nessuno deve rovinarmi l'attesa. Infine arriva una coppia di anziani che si siedono insieme, decido di ignorarli.

Dalla sala d'aspetto si vedono solo gli ultimi vagoni del treno, perciò non è possibile capire con certezza dove sia lui, o su quale carrozza abbia viaggiato. Però dal binario 1, per uscire, bisogna imboccare per forza il sottopassaggio che sbuca proprio sotto la sala. Affacciandomi alle finestre vedo le persone che escono in fila, una dopo l'altra, tutte dirette ai parcheggi o allo stradone che scende verso il centro. Quando il treno arriva io mi alzo e mi metto lí ad aspettare. Giò non è mai tra i primi, non ha fretta di tornare a casa, quasi sempre è con i suoi due compagni di corso, Mirco e Alberto, li vedo chiacchierare mentre s'incamminano verso l'auto. Quando spunta appare di spalle: io lo riconosco comunque. Anche se ha il cappuccio in testa, anche se piove e l'ombrello è aperto. Lo guardo uscire e penso: «Voltati, Giò, sono la Vale, sono quassú, voltati e vedimi». Ma lui non si gira mai.

Oggi il tempo sembra non passare piú.

La donna con le borse della spesa aspetta paziente, un tizio con il telefono esce dalla sala dicendo: – ... non è possibile che faccia sempre cosí, tu non glielo devi... – e poi non sento piú niente.

Ma a me non interessa sentire, io aspetto.

E mentre aspetto conto tutte le giornate che ho passato qui.

Giò mi ha lasciata all'inizio di settembre, oggi è il 23 di novembre.

Sto andando molto male in matematica e fisica, erano le materie in cui mi aiutava lui, anche se poi finivamo spesso a fare tutt'altro. Credo che i miei abbiano intenzione di farmi prendere lezioni private. Io ho detto che l'anno prossimo voglio iscrivermi a medicina, come Giò, e hanno storto il naso. Le materie scientifiche non sono il mio forte, ma lui ha davanti ancora due anni di corso e due anni sono seicentonovanta viaggi in treno, ho fatto bene i calcoli. Potremmo incontrarci seicentonovanta volte, sederci nello stesso vagone, magari parlare. Seicentonovanta chance non sono mica poche. Seicentonovanta occasioni in cui i nostri sguardi potranno incrociarsi ancora.

Ecco, l'altoparlante annuncia l'arrivo del suo treno. Ascolto il rumore ovattato che si avvicina e diventa prima un fischio e poi un frastuono che fa vibrare il pavimento. Quando i freni stridono, io mi alzo. Supero la donna con le borse della spesa e vado alla finestra. L'uomo al telefono rientra sbraitando: – ... glielo dici tu oppure glielo dico io!

Vorrei dirgli di stare un po' zitto, ma sono concentrata su Giò. La gente comincia a uscire dal sottopassaggio. Per un po' non lo vedo e mi prende il panico, poi mi ricordo che l'auto è nel parcheggio, mi dico di stare tranquilla. È possibile che sia uscito dall'ingresso principale? Ma no, Giò è un abitudinario, infatti eccolo. Riconosco il giubbino rosso, l'andatura dinoccolata, quel modo di muovere le mani un po' buffo. Cosí suo. Non riconosco i capelli lunghi accanto a lui, biondi, fluenti. Qualcosa dentro di me si stacca e cade, con un tonfo. Non importa, non è la prima volta che succede. La prima volta che l'ho visto con un'altra ero ancora la sua ragazza, e quello è stato peggio. Lo guardo avanzare, tra poco attraverserà la strada e girerà a destra, poi sparirà dietro l'angolo.

«Voltati, Giò, sono la Vale, sono quassú, voltati e vedimi», penso sempre, oggi non fa eccezione.

Lui guarda a destra, poi a sinistra, la ragazza bionda fa un passo ma lui la ferma con una mano, c'è un'auto che sta arrivando veloce.

È precisamente in quel momento che Giò, senza alcuna ragione, si irrigidisce.

D'un tratto si volta e guarda in alto.

Allarga gli occhi.

Mi vede.

Renato
(Questo amore immenZo per te)

Renato si controllò piú volte nel riflesso del finestrino, per verificare che tutto fosse in ordine.

Aveva scelto la giacca di velluto blu scuro, quella delle occasioni importanti, forse un po' formale e pesante, ma gli avrebbe consentito la mossa di sfilarsela al momento opportuno e di mostrare che, alla sua età, aveva ancora un fisico invidiabile, altro che anziano.

Renato aveva settantatre anni compiuti da poco e non tornava in città da piú di quindici. Al tempo, se n'era andato in auto, aveva messo le valigie nel bagagliaio senza mai alzare gli occhi verso le finestre del terzo piano, casomai qualcuno si fosse affacciato: andarsene era una sua scelta e un suo diritto insindacabile, non si sarebbe fatto intenerire da due lacrime. Ora però preferiva arrivare in treno, cosí da essere ben riposato, senza la stanchezza dovuta alla guida e con il viso ancora fresco di dopobarba.

Immaginò per tutto il viaggio l'attimo in cui l'avrebbe finalmente vista, gli occhi neri e profondi, i capelli ricci. «Sei molto piú bella che nelle fotografie», le avrebbe detto per prima cosa. Dopo essersi presentato, ovvio.

Era un po' nervoso, la bocca asciutta e amara, e questo non gli piaceva. Non ci era abituato. In vita sua aveva sempre tenuto la schiena dritta e la testa alta, davanti a tutti, uomini o donne, superiori o colleghi, nessuno era mai riuscito a fargli abbassare lo sguardo. Anche quando sua moglie gli aveva mandato l'avvocato per dirgli che doveva vergognarsi per i soldi che non inviava a casa. Renato si era messo a ridere. I soldi? Quali soldi? Di cosa avevano mai bisogno, a casa, che aveva lasciato loro tutto quel che aveva, a parte la Corvette d'epoca che era sua sacrosanta, e sulla quale non aveva voluto sentire discussioni? Che dispiacere era stato venderla, meglio non ripensarci.

L'annuncio dell'altoparlante lo scosse dai ricordi, si alzò sistemandosi ben bene le pieghe della giacca, stirando il velluto col palmo della mano, prese la borsa da viaggio e si avviò verso l'uscita della carrozza. Davanti a lui, un ragazzo e una ragazza aspettavano abbracciati che il treno si fermasse. Attraverso i vetri intuí che non era cambiato niente, nemmeno le panchine avevano sostituito. Scese respirando a pieni polmoni l'aria di quella che un tempo era stata casa sua, impregnata di rancore e sensi di colpa. Se non fosse stato per lei si sarebbe voltato, sarebbe risalito sul treno e tanti saluti. Invece si stampò un bel sorriso in faccia, casomai avesse incrociato qualcuno che lo conosceva, e avanzò verso le scale. Attraversò circospetto l'androne, passò accanto a un uomo con un vistoso berretto giallo che si stava rialzando dal pavimento, poi notò il controllore del suo treno che correva verso la libreria. Buttò un occhio dentro il bar, per vedere se ci lavorava ancora Perla, gran bella donna, avevano trascorso un paio di serate interessanti insieme, altri tempi. Ma Perla non c'era piú. Al suo posto, a servire ai tavoli, c'era un tizio allampanato con i capelli rossicci, che stava portando un tè a una donna seduta da sola. La donna sembrava aspettare qualcuno, e Renato ricordò che non era buona norma presentarsi in ritardo a un appuntamento. Lui oggi ne aveva uno importante.

Aveva deciso che l'avrebbe attesa all'uscita, voleva spaccare il minuto.

«Sorpresa!» le avrebbe detto, con una mano dietro la schiena a nascondere il pacchettino con il nastro rosa che teneva nella borsa. Sperava non si fosse sciupato nel viaggio, aveva sorvegliato da vicino la commessa mentre lo confezionava. La prima impressione è la piú importante.

Iniziò a scendere dalla discesa della stazione, cercando di respingere i ricordi che si affacciavano a frotte. Gli tornò alla mente quella volta che, nello stesso tratto di marciapiede, aveva lasciato andare il passeggino di Marcello, e Viviana lo aveva rincorso neanche potesse succedere chissà cosa.

– Padre degenere! – gli aveva urlato, ma era stato solo uno scherzo, la gente non sa vedere il lato divertente della vita, Viviana meno di tutti gli altri. Chissà com'era diventata. Sapeva soltanto che non era morta e non si era risposata. Significava che c'era almeno un poveraccio, da qualche parte nel mondo, che poteva tirare un sospiro di sollievo.

Arrivò alla rotonda e si diresse verso la piazza. Iniziava ad avere il fiato corto, ma non avrebbe rallentato, anzi, se avesse potuto sarebbe andato piú in fretta. Voleva vederla, doveva incontrarla, aveva aspettato anche troppo. Ricordava bene l'istante in cui aveva aperto la prima foto su WhatsApp e aveva sentito una specie di carezza sul cuore: era bellissima. Ma non era stato questo a conquistarlo, si era perso nel suo sorriso. Irrimediabilmente. Non aveva mai visto nessuna sorridere come lei.

– Anita.

Pronunciò il nome a voce alta, senza rendersene conto. Anita, il regalo che la vita gli aveva fatto quando lui pensava che fosse troppo tardi per tutto. Era troppo tardi per Marcello, suo figlio, e per Grazia, sua figlia, era troppo tardi anche per Viviana, ma loro rappresentavano il passato. C'è chi pensa che a settantatre anni non ci possa essere piú futuro, ma si sbaglia di grosso, e lui e Anita ne erano la dimostrazione. Il loro incontro avrebbe rappresentato per lui un nuovo inizio.

Controllò le indicazioni che si era segnato, come potesse averne bisogno, mentre conosceva ancora quel posto come le sue tasche. Davanti a lui si stagliò l'enorme edificio giallo e controllò l'orologio: mancava ancora piú di mezz'ora. Ricordò che c'era un piccolo spazio verde a due passi e lo raggiunse, mettendosi seduto su una panchina tutta scrostata, sullo schienale una scritta a pennarello che diceva: «Questo amore immenZo per te». La percorse con le dita. Sorrise.

Ripassò le parole che si era ripromesso di dirle. Che era bellissima, certo. Che aveva un vestito meraviglioso, qualunque fosse stato. Che gli sembrava di conoscerla da sempre. Doveva stare attento a non apparire patetico, o disperato, un uomo che affogava in una solitudine che non riusciva piú a controllare, un vecchio che aveva perso tutti i suoi punti fermi e che di lei aveva bisogno quanto se ne ha di un ultimo approdo, bisogno piú di qualunque altra cosa. Voleva che lei fosse il suo pensiero la mattina appena sveglio e la sera prima di addormentarsi. Voleva solo amarla e che lei lo amasse, non desiderava nient'altro. Non avrebbe chiesto piú niente.

– Renato?

Sollevò gli occhi di scatto. Davanti a lui una ragazza bionda, avvolta in un completo beige.

– Sí?

– Sono Mirela.

Aveva ancora una lieve inflessione straniera. Per quanto tempo tu viva lontano, la tua terra d'origine non ti abbandona, e se non lo sapeva lui. La ragazza gli tese la mano e lui la strinse sorpreso, non si aspettava quel gesto.

– Come mi hai riconosciuto?

– Dalla faccia, – rise lei. – Fatto buon viaggio?

– Sí, – le rispose, fingendo disinvoltura.

La ragazza gli rivolse un cenno.

– Andiamo?

Renato si alzò facendo forza sulle ginocchia, si passò una mano fra i capelli radi e sentí che era sudata. Si bloccò. Si rese conto che aveva paura, una paura terribile che si potesse ripetere quanto successo in passato, il terrore di perdere ancora tutto, perfino quel piccolo sogno di un nuovo amore. Mirela lo aspettò con pazienza. Renato la raggiunse e insieme tornarono all'edificio giallo.

– Ci sei solo tu? – disse.

– Sí, – rispose lei, stringendosi nelle spalle. – Un po' per volta.

Attesero finché non scoccò la mezza. Lui aprí la borsa e prese il pacchettino con il nastro rosa, fosse solo per occupare quei momenti terribili. Dalle porte uscí un fiume di vite vocianti che si riversarono verso di loro.

– Non la riconoscerò mai, – pensò con terrore Renato.

E invece eccola lí.

Aveva un vestito celeste con i bordi bianchi di pizzo, dal tono un po' rétro. A Renato ricordò un abitino che Viviana aveva cucito per Grazia, vent'anni prima. Mirela si accoccolò a terra e tese le braccia verso la bambina, che ci si tuffò dentro. Vista cosí da vicino era identica a Marcello. Mirela si risollevò con la piccola in braccio.

– Ecco, Anita, vedi questo signore? Lo sai chi è?

La bimba fece cenno di no.

Renato sentí il pacchettino scivolargli dalle mani e cadere a terra, da dietro la schiena, si chinò a raccoglierlo sotto gli occhi della bambina, rialzandosi lo lucidò con la manica della giacca come se fosse appena stato recuperato da una vasca piena di coccodrilli.

Lo allungò verso di lei.

– Sono il nonno, – disse Renato, con la voce che gli tremava.

Giada
(Non ascoltare la segreteria)

Il telefono s'illuminò e Giada si sforzò di sorridere.

Il ragazzo davanti a lei continuava a chiederle: – Dice che va bene? Che è adatto?

– Ma certo, è un regalo perfetto! – e lei voleva solo che si decidesse, che le facesse battere lo scontrino e se ne andasse. Ma lui non era convinto, soppesava in mano il caricabatteria multipresa a forma di unicorno e continuava a lanciare occhiate alle tazze di ceramica con citazioni *inspirational*. Ne lesse una sul «lato opposto della paura» che sembrava scritta appositamente per lui.

– Vede, è per un'occasione un po' speciale, solo che non ho avuto modo…

Non aveva nemmeno finito la frase, ma tanto lei lo sapeva com'era andata. Lui di quell'occasione speciale si era dimenticato e adesso, all'ultimo minuto, era entrato nel negozio di gadget della stazione perché era l'unico aperto a quell'ora in cui potesse sperare di recuperare qualcosa. Conosceva la trafila, ci era passata troppe volte negli ultimi due anni.

– Perché non le regala una mappa del mondo con i Paesi da grattare?

– Non ho capito.

– È come il gratta e vinci, ogni volta che visiti un Paese nuovo gratti con una moneta la patina argentata.

– Ah.

Lo schermo si illuminò di nuovo. Il cellulare era appoggiato di fianco alla cassa e negli ultimi cinque minuti erano arrivati tre nuovi messaggi da Marco, ma finché non avesse finito di servire il cliente non avrebbe potuto prenderlo. La ragazza che l'aveva preceduta in negozio era stata licenziata perché stava troppo al telefono, e la telecamera montata all'ingresso puntava esattamente sul bancone. Giada era autorizzata a controllare i messaggi solo quando il negozio era vuoto. E adesso non lo era. Oltre al fidanzato indeciso c'erano un tizio con un berretto di lana giallo, in spalla uno zaino da ragazzina che faceva a pugni con la sua età, e una donna dall'aria annoiata.

Marco aveva iniziato a scriverle già mezz'ora prima e lei lo aveva ignorato, anche se in quel momento non c'erano clienti, meglio lasciarlo cuocere nel suo brodo. Poi qualcosa era caduto nel bar di fianco e quei tre erano entrati a ruota. Il ragazzo posò l'unicorno e si spostò verso le tazze. Giada ne approfittò per guardare lo schermo prima che si spegnesse. L'anteprima del messaggio diceva: «Cioè, se per te non è imp».

Le tre che l'avevano preceduta dicevano: «Sono stufo di sentirmi se», «Non è che ti devo chieder» e «Magari potresti anche cal». Sapeva di cosa stava parlando, ne avevano discusso la sera precedente e pure il giorno prima. Marco si sentiva sotto pressione perché lei aveva saputo che era uscito con gli amici e aveva fatto il carino con una tizia. Ovviamente lui le aveva ribattuto di essere stato solo educato, che a quella cena pure lei era invitata, e che era stata una sua scelta quella di non andare. Ma per Giada gli amici di Marco erano noiosi come la morte, e anche lui in fondo un po' lo era, però lui se l'era scelto, i suoi amici no. A Giada non andava giú che Marco non avesse ambizioni, che si fosse fatto andar bene il primo posto che gli era capitato, a sollevare la sbarra di una guardiola, santo cielo, sarà mica un lavoro? Lei a soli ventitre anni aveva già un curriculum in ascesa, barista in un noto locale, commessa in tre negozi, ma non si sarebbe di certo fermata lí.

– Magari un portapranzo decorato? Lei mangia sempre sul posto di lavoro, o cosí mi ha detto...

– Un'idea deliziosa, – sorrise ancora Giada.

Il telefono iniziò a vibrare. Era Marco. Non la chiamava mai al lavoro, sapeva che lei non poteva rispondere, di solito le mandava un messaggio e Giada lo richiamava non appena possibile.

«È per questo che lo fa, – pensò. – Perché sa che non posso rispondere».

– Scusi, ha solo questi esposti? – chiese la donna dall'aria annoiata indicandole alcuni diffusori di essenze.

– Sí.

Il telefono riprese a vibrare e Giada cominciò ad avere paura. Che fosse successo qualcosa? Magari Marco non voleva parlarle dei loro problemi, magari nel frattempo era capitato un fatto inatteso, e i fatti inattesi, in genere, non sono mai buoni. Fece per allungare la mano quando il ragazzo ritornò al bancone.

– No, sembra una cosa da scolaretta. Va bene il caricabatteria. Poi l'unicorno ha pure un suo senso.

– Glielo incarto subito.

Prese la confezione e l'appoggiò su un foglio di carta colorata. Lo schermo del telefono si illuminò.

«1 messaggio in segreteria».

Giada si tranquillizzò, le disgrazie non si comunicano in segreteria, alla peggio si richiama ancora. Ma se non si trattava di una disgrazia poteva essere altro. Sentiva le mani fredde e sudate.

«Non può farlo. Non può lasciarmi al telefono, con un messaggio in segreteria».

Il nastro le scivolò di mano, lo recuperò mentre sullo schermo compariva un nuovo messaggio che diceva solo: «Mi dispiace».

Fece il nodo, il fiocco, arricciò piú veloce che poteva i due lembi del nastro rimasti troppo lunghi, mise l'etichetta del negozio e batté lo scontrino. Il ragazzo afferrò il pacchetto con un'espressione di enorme sollievo e Giada pensò a tutte le balle che quel tipo avrebbe raccontato alla fidanzata che lo avrebbe ricevuto come regalo per un'occasione speciale – qualcosa del tipo ci ho pensato tanto, volevo un oggetto che ti fosse utile ma che ti facesse pure pensare a me, e visto che ti piacciono tanto gli unicorni…

«Bugiardo! Bugiardo, bugiardo, bugiardi tutti!»

Lo guardò andar via e alzò gli occhi sugli altri due clienti. La donna annoiata si stava avviando all'uscita, quello con il berretto giallo e lo zaino stava esaminando le lucine da notte. Era un rischio, ma doveva correrlo. Prese il telefono, lo sbloccò, andò sulla app di messaggistica e lesse la stessa frase una dozzina di volte.

«Marco ha cancellato questo messaggio».

Aveva fatto piazza pulita di tutto, non rimaneva nulla di ciò che le aveva scritto nell'ultimo quarto d'ora, quando lei era stata troppo impegnata per rispondergli. E adesso? Cosa avrebbe dovuto intuire da «Cioè, se per te non è imp», «Sono stufo di sentirmi se», «Non è che ti devo chieder» e «Magari potresti anche cal»?

Cosa aveva voluto dirle? Cosa aveva voluto dirle *davvero*? E proprio allora, mentre cercava disperatamente di capire, arrivò un ultimo messaggio.

«Non ascoltare la segreteria».

Giada era rimasta lí a guardare lo schermo, dimentica del tizio col berretto giallo, della telecamera all'ingresso e del rischio di venire licenziata.

La risposta alle sue domande era chiusa dentro il telefono, nascosta come la chiave di Barbablú.

Se l'avesse ignorata, quella sera lei e Marco si sarebbero visti dopo il lavoro, come d'accordo, e lei gli avrebbe detto che sollevare una sbarra forse non era una grande ambizione, però se a lui piaceva a lei andava bene, e i suoi amici erano noiosi, sí, ma una volta ogni tanto ci si poteva anche uscire insieme, e che lo sapeva che lui era un ragazzo gentile, poteva fare il carino con tutte le ragazze del mondo, tanto era certa che poi sarebbe tornato da lei.

Invece schiacciò il messaggio della segreteria, inserí il codice e ascoltò.

Non appena ebbe finito, rimise il telefono accanto alla cassa e alzò gli occhi.

Il tizio con il berretto giallo era lí e le allungava qualcosa che forse voleva comprare, chissà cos'era, non riusciva a vederlo bene, d'un tratto le sembrava di avere gli occhi appannati.

Solo all'ultimo si accorse che era un pacchetto di fazzoletti.

E solo allora si accorse che stava piangendo.

Springflower
(Gli uomini vengono da Marte, le donne da Venere)

Guardando dentro si potevano notare: un vecchio con l'occhio sinistro mezzo chiuso e la faccia affogata in un cappuccino che sembrava dovesse morirci; una coppia che stava litigando in un angolo del bar – lui con l'espressione del muto rimprovero e lei con quella del rimprovero esplicito; il barista alto dai capelli rossi che dava il resto a un tizio dall'aria devastata; un ragazzo in piedi al bancone con accanto una grossa cartellina da disegno.

Lui non c'era.

Aveva fatto bene a non entrare, gliel'aveva detto, la Manu. Non entrare per prima, faresti la figura di quella che sta lí ad aspettare e invece è lui che deve aspettare te. Non si spiegava come facesse a sapere sempre tutto di tattiche amorose, la Manu, che a quarant'anni passava ancora il capodanno con la madre. Però aveva letto *Gli uomini vengono da Marte, le donne da Venere* ed era abbonata a «Cosmopolitan».

La porta del bar si aprí, e lei si voltò speranzosa, ma era solo un uomo con un berretto giallo e uno zaino che entrava per ripararsi dal freddo.

Il ragazzo osservava attraverso il vetro questa donna avvolta in un cappotto fuori moda, che guardava dentro. Avrà avuto l'età di sua madre. Cazzo ha da guardare, 'sta vecchia, pensava.

Era già mezz'ora che aspettava e di lei nessuna traccia. Sbagliarsi era impossibile, aveva la foto. Castana, sul metro e sessanta, capelli lunghi ricci. Un po' passatella forse – il profilo diceva trentuno anni –, ma ci stava. Si erano dati appuntamento nel piccolo bar della stazione dove lui attendeva il treno di solito. Meglio giocare in casa, si era detto. Ma ancora niente.

Chissà cosa dirà di me quando mi vedrà, pensava il ragazzo. Va bene, aveva un po' mentito sull'età, ma poi in realtà se uno è piú giovane è pure meglio, no? Anche la foto che aveva messo sul sito d'incontri, in fondo. Sí, non era la sua, ma lo dicevano tutti che lui e Giorgio sembravano fratelli, insomma, forse lei non avrebbe notato la differenza. La barba poteva sempre dire che se l'era appena tagliata. Non c'era di che preoccuparsi. Vide un'ombra appoggiarglisi accanto, e per un attimo ci sperò. Invece era un tipo con la faccia da scemo, un berretto giallo e uno zainetto che doveva avere rubato all'asilo. Sembrava indeciso su cosa ordinare. Lui ammiccò indicandogli la sua pinta, quello rise e chiese un caffè. Probabilmente alla sua età una birra a stomaco vuoto lo stronca, si disse.

Chissà cosa penserà di me quando mi vedrà, si chiedeva la donna. Sí, aveva messo una foto di quindici anni prima, ma in fondo era sempre lei, no? E poi glielo dicevano tutti, che dimostrava meno anni. Aveva qualche chilo in piú, d'accordo, e anche i capelli erano appena piú corti, ma le stavano bene. Non aveva barato, continuava a ripetersi.

Dentro, il ragazzo si era stufato. Aveva il treno di lí a poco, e non avrebbe perso anche quello per colpa di una. Tommy gliel'aveva detto che, alla fine, 'ste cose di Internet sono tutte dei pacchi. Per un attimo pensò di mandarle un messaggio. Prese lo smartphone e andò sulla chat del sito, scrisse: «Ehi», poi decise che no. Afferrò la cartellina, pagò la birra che aveva ordinato senza averne voglia e si incamminò verso l'uscita.

Fuori si era alzato il vento e sembrava stesse per piovere. Che vabbe' i consigli della Manu, ma tanto, aspetta dentro aspetta fuori, alla fine, che cosa poteva cambiare? La donna si avvicinò all'ingresso.

Si incrociarono sulla soglia del bar, solo per un attimo. Lui si fece da parte mentre lei stava entrando e le disse: – Prego, signora –. Lei pensò «Va' che educato 'sto ragazzo, e poi dicono i giovani d'oggi. Fosse cosí anche il mio Diego».

La porta si richiuse alle spalle di entrambi, il ragazzo vide il suo treno lampeggiare sul tabellone e iniziò a correre verso il binario.

La donna dentro il bar si sedette e ordinò un tè caldo. Il barista arrivò con la sua tazza, perse l'equilibrio, e la fece cadere a terra. Chiese scusa, lei si alzò per consentirgli di pulire e gettò un'occhiata alla sua sinistra. Sul bancone vide una pinta di birra ancora piena per metà e un piccolo foglio bianco con un ghirigoro a penna disegnato in un angolo. Si incuriosí, si avvicinò e prese in mano il foglio. Lo voltò.

In basso a destra c'era scritto: «Springflower».

Quasi non si riconobbe, mentre sorrideva in una foto stampata male di quindici anni prima.

Anselmo
(È il tempo perso per la tua rosa che rende la tua rosa cosí importante)

– Biglietto, prego.

Il treno aveva superato da poco la stazione di Rodengo Saiano, il display vicino all'uscita della carrozza segnalava che mancavano sedici minuti a quella di Boffalora, se non avessero accumulato altro ritardo.

– Mi dice le ultime due cifre del codice Pnr, per favore?

Su quella tratta c'erano spesso imprevisti. Di rado era qualcosa di grave come un suicidio, ma bastava un paio di operai a lavorare su uno scambio – per non parlare delle incursioni dei disperati che, di notte, si diceva rubassero i tondini di rame dai binari – e improvvisamente era necessario fermarsi o rallentare.

– Se mi mostra il telefono scansiono il Qr code.

Lui non voleva che rallentassero. Voleva sentire il treno volare, guadagnare metri e secondi, spedito come una freccia verso il binario 1 di Boffalora, la sua stazione. Da lí partiva ogni giorno e lí scendeva a fine turno. Aveva una casetta proprio su viale dei Tigli, due piani piú mansarda, in paese la conoscevano tutti, la chiamavano la bomboniera: sua madre l'aveva voluta rosa acceso anni prima, quando il papà era ancora vivo, e rosa acceso era rimasta.

«Chissà se ad Amanda piace il rosa».

Anselmo Brighenti aveva cinquantadue anni, faceva il capotreno, era entrato a lavorare nelle ferrovie perché anche suo padre lavorava nelle ferrovie, ma quando era arrivato il momento di scegliere aveva voluto finire sui treni, non nella cabina di comando.

«Ma perché, figlio mio, che poi è una condanna, ti tocca sempre muoverti con qualunque tempo e non puoi venire a mangiare a casa!» si era lamentata sua mamma.

Anselmo aveva cercato di spiegarle quanto amasse la vibrazione delle carrozze sotto ai piedi, il paesaggio che cambia in continuazione e corre via dal finestrino, la sensazione di arrivare e di essere già in partenza. Ma, si sa, le madri fanno da sempre le madri.

Una soddisfazione però gliel'aveva data: non si era sposato.

In fondo chi glielo faceva fare, aveva tutto quello che gli serviva, lí a casa, nel suo piccolo mondo perfetto: gli amici del *Bar Dodici* a pochi passi, le gite in bicicletta la domenica, le camicie stirate e il letto rifatto. Quando infine era diventato capotreno aveva avuto la sensazione che, di colpo, la sua vita fosse finalmente piena, completa, ogni cosa al suo posto, ogni casella occupata.

E poi aveva conosciuto Amanda.

Piú giovane di lui di cinque anni, diventata capotreno molto presto perché era in gamba. «Anche se è una donna», diceva qualcuno. «Proprio per quello», pensava Anselmo.

Anselmo non era quel genere di capotreno che abbaia per ogni biglietto mancante, tutt'altro. Invitava alla calma, stemperava le tensioni con arguzia, e anche quando chiamava la Polfer lo faceva sorridendo alla persona che stava per denunciare.

Di Amanda, invece, circolavano voci opposte.

«Sul 1024 hanno messo una iena», lo avevano avvertito i colleghi.

Dura, rigidissima, con la sanzione in tasca sempre pronta, anche solo se qualcuno si addormentava e sbagliava fermata. Anselmo ne aveva avuti, di colleghi cosí, ma donne mai. Per questo gli era venuta la curiosità di conoscerla, e alla prima occasione si era fatto cambiare turno per rimanere un paio d'ore a Bologna, quando anche lei avrebbe avuto un margine di attesa.

L'aveva incrociata insieme a un'altra collega nella saletta riservata, e lo aveva colpito da subito.

Non si può dire che Amanda fosse bella, non di una bellezza canonica, almeno, ma aveva l'aspetto nostalgico e decadente che ha una donna piacevole quando si trascura, e le preoccupazioni o l'età cominciano a sciuparle il viso. Di sicuro, aveva qualcosa di diverso dalle altre, forse proprio quella serietà che la faceva sorridere pochissimo e che lui associava al rigore morale. Ne era rimasto folgorato. Avendo un po' di anzianità in piú e la fama di essere simpatico, aveva intrattenuto lei e la collega con tutte le barzellette che conosceva, e se l'altra rideva sguaiatamente, asciugandosi gli occhi, ad Amanda aveva strappato giusto un paio di scorci dei denti.

Se possibile, questo lo aveva conquistato ancor di piú.

Si era informato bene su di lei, aveva saputo che era single, che viveva a Dossobuono, due stazioni prima di Boffalora, che nel tempo libero praticava l'arrampicata. Avrebbe voluto chiacchierare con lei, magari da soli, ma non era riuscito piú a far incrociare le pause senza attirare i sospetti dei colleghi. Amanda prediligeva le tratte lunghe, quelle che portavano a viaggi estenuanti sulla costa dell'Adriatico o infinite gallerie nell'entroterra, quasi mai richiedeva turni meno problematici, sembrava che le piacesse viaggiare scomoda. Anselmo non sapeva che fare, a meno di non uscire allo scoperto, e questo non era nel suo carattere.

Finché non era accaduto un fatto spiacevole, una cosa in apparenza di poco conto, ma significativa.

Al termine del suo turno, Anselmo era sceso in stazione. Dopo di lui era salito un capotreno giovane e abbastanza nervoso che, non si sa come, aveva pasticciato con il programma del controllo biglietti, costringendo gli altri colleghi a doversi rifare tutto il treno da cima a fondo. Questo aveva creato malumore, soprattutto nei passeggeri, e quando Anselmo lo aveva saputo si era molto risentito, lamentandosene con i superiori. Il giovane capotreno non era stato piú messo sulla sua tratta. Gli era sembrato un segno del destino, e da quel giorno Anselmo aveva cominciato a lamentarsi di tutti i cambi di turno. Non voleva danneggiare nessuno, quindi si aggrappava a tecnicismi, spiegava che lui aveva una gestione del treno che doveva accordarsi alla perfezione con quella di chi saliva a sostituirlo, che trovava controproducente far arrivare il cambio da lontano, con personale già stanco, che era meglio avere qualcuno con esperienza su treni diversi, per arricchire le competenze.

E cosí, un pomeriggio, assegnarono Amanda al suo treno, con cambio a Boffalora.

Quel giorno, Anselmo attese il cambio turno rimanendo chiuso venti minuti in bagno, sia per l'emozione che per sistemarsi al meglio. Scese dalla carrozza che sembrava un alto ufficiale, la divisa impeccabile, il cappello calato sugli occhi, il piglio del comandante, dietro di lui il suo secondo. Amanda li salutò e salí subito insieme alla sua assistente. Non ci fu tempo per dirle niente, e questo lo prese in contropiede.

La sera stessa scrisse una mail di elogio a lei e alla sua collega, dicendo che di rado aveva visto tanta professionalità. E la settimana dopo le assegnarono di nuovo al suo treno.

E quella dopo ancora. Ogni pomeriggio, alle tredici e quarantadue, Anselmo scendeva e incontrava Amanda, in procinto di salire. Il loro era un incontro che durava al massimo due minuti, di norma una manciata di secondi, e quello era tutto il tempo che lui aveva per notare dettagli di lei, che tipo di scarpe indossava, in che modo sollevava il trolley sul treno, se si era messa lo smalto sulle unghie oppure no. Imparò che l'umore di Amanda andava di pari passo con il colore del suo rossetto, piú era acceso e piú lei era propensa a sorridere, piú era spento piú le sue sopracciglia si corrugavano. Era chiaro che le barzellette non le piacessero molto, quindi Anselmo si preparò una serie di frasi a effetto da dirle. Le pescava su Internet, a volte erano citazioni di libri, a volte erano detti popolari, a volte aforismi motivazionali. Li trascriveva su un foglio e poi li ripassava lungo il percorso, cercando di capire quale potesse essere piú adatto all'occasione. Il problema era che aveva sempre pochissimo tempo, tutto si giocava in un attimo, e poteva succedere che qualcosa creasse un intoppo al loro incontro, per esempio un passeggero che chiedeva informazioni, la vicinanza troppo stretta della collega di Amanda, o, banalmente, la pioggia che affrettava lo scambio.

Quel giorno però il tempo reggeva e Anselmo aveva appena finito la carrozza 3, cosí da potersi sistemare in bagno e prepararsi all'incontro. Aveva selezionato tre frasi, quel mattino, sottolineandole sul suo foglio, solo che poi il foglio lo aveva cacciato chissà dove e adesso se ne ricordava una sola.

«È il tempo perso per la tua rosa che rende la tua rosa cosí importante».

Era la citazione di un libro per ragazzi, e questo lo metteva un po' al riparo dalla possibilità che Amanda la conoscesse. Doveva trovare il giusto aggancio per dirgliela in quel minuto abbondante che riteneva di avere a sua disposizione, in modo da poterle strappare un sorriso e, magari, un commento. Sentí che il treno cominciava a decelerare e controllò l'orologio: aveva ancora due minuti. Finí di sistemarsi il cappello, spazzolò con la mano la giacca e scappò a prendere il trolley. Si piazzò davanti alla discesa, alle spalle la collega Maddaloni che si lamentava perché le scarpe le facevano male. Sapeva che non avrebbe potuto vedere Amanda passando, lei e la collega si sarebbero collocate nel punto esatto di salita e lui avrebbe avuto i soli istanti prima dell'apertura per valutarne l'umore e, soprattutto, il colore del rossetto. Man mano che il treno rallentava lui si ripeteva: «È il tempo perso per la tua rosa che rende la tua rosa cosí importante», e cercava di imporre alle mani di non sudare.

Poi, nell'ovale della porta, comparve lei. Impeccabile come sempre e con il rossetto rosso. Il cuore di Anselmo mancò un battito, ogni cosa stava giocando in suo favore. La porta si aprí e lui scese con un bel sorriso stampato sulla faccia.

– Buongiorno, cara Amanda, tempo magnifico per viaggiare.

– Buongiorno, Brighenti, ciao Maddaloni. Tutto in ordine?

La litania sulle scarpe tornò a farsi sentire, Anselmo si scansò per lasciar scendere alcuni studenti e aiutò una ragazza con dei tacchi talmente esagerati che riusciva a malapena a fare i gradini.

– Perfetto! – disse a proposito di nulla.

Prima che lei salisse tentò un diversivo.

– È tuo quel pacchetto?

Amanda si girò a guardare, mentre la sua collega saliva prima di lei. A terra c'era un pacchetto di fazzoletti.

– No, – rispose.

– Allora andrò a gettarlo, non si sa mai chi possa averlo toccato.

– Ecco, appunto, quindi non perderci tempo e non toccarlo nemmeno tu, che magari ha su dei bacilli.

Una premura! Una premura verso di lui! Doveva dirle la frase, gliela doveva dire subito!

– Userò un fazzolettino, sono un uomo che sogna un pianeta pulito –. Affondo! – Del resto è il tempo perso per la tua rosa che rende la tua rosa cosí importante!

La bocca di Amanda si spalancò nel primo grande sorriso mai mostrato.

– È una frase di Saint-Exupéry, – disse.

– Certo, – confermò Anselmo, preso in contropiede, – è il mio autore preferito! Magari una volta ne parliamo.

– Sí, magari.

Amanda gli diede le spalle e salí sul treno. Anselmo non si mosse finché non sentí il fischio. Aveva funzionato! Tirò fuori dalla tasca un fazzolettino di carta e andò a raccogliere il pacchetto. Sul primo binario stava passando Samir, l'uomo delle pulizie, e Anselmo lanciò il pacchetto dritto dentro il suo carrello con cestino.

– Grazie, capo, – disse Samir.

– Buonissima giornata a te! – rispose lui con entusiasmo sproporzionato. Poi sollevò il trolley e si buttò giú per le scale. Percorse il corridoio in tutta fretta, sbucò nell'atrio, sapeva bene che il negozio faceva orario continuato, ma nonostante questo non poté impedirsi di correre, sempre piú forte, saltando i passeggeri come birilli, fino a che non si schiantò addosso a un tipo con un berretto giallo e uno zaino da liceale, che stava entrando nel negozio di gadget. Si scontrarono frontalmente. Finirono entrambi a terra.

– Ma le pare di correre cosí in una stazione?! – disse il tipo.

È che stavo inseguendo un abusivo senza biglietto, – si inventò Anselmo, preso alla sprovvista. Sono mortificato. Sta bene?

– Non ne sono sicuro, ma mi sembra di sí.

– Anch'io, – disse Anselmo, come se qualcuno glielo avesse chiesto. – Allora tutto a posto. Mi scusi davvero, ma ora devo andare!

Anselmo si alzò di scatto e riprese a correre.

Anche il tipo si tirò su, Anselmo si voltò a gettargli un'ultima occhiata. Potrebbe andare a lamentarsi di me all'ufficio reclami, pensò per un attimo. «Un capotreno mi ha scaraventato a terra!» Non sarebbe stato difficile risalire a lui. Avrebbero potuto fargli rapporto. Decise che non gli importava, voleva solo arrivare.

Eccola lí, finalmente. Le vetrine erano illuminate e la porta spalancata, quasi una promessa di felicità. Entrò nella piccola libreria della stazione tutto sudato, si fermò alla cassa, prese un bel respiro e poi: – Avete libri di Saint-Exupéry? – chiese.

– Certo, – disse il commesso. – Quale le interessa? *Il piccolo principe*? *La terra degli uomini*? *Volo di notte*?

Anselmo ripensò agli occhi di Amanda, al suo rossetto color rosso fuoco, al suo «magari».

– Tutti, – disse.

Guido
(Il cliente da lei chiamato non è al momento raggiungibile)

«Il cliente da lei chiamato non è al momento raggiungibile».

Guido si trattenne dal tirare il telefono contro il muro, prima di tutto perché ne aveva ancora bisogno, e in secondo luogo perché quel muro non era suo. Doveva sforzarsi di restare calmo ancora per un po', almeno finché non fosse tornato a casa. Ma una volta là non lo avrebbe fermato nessuno. Avrebbe chiuso la porta e buttato la chiave, oppure avrebbe fatto cambiare la serratura, voleva vedere chi avrebbe riso per ultimo. Un'intera giornata di lavoro persa, anzi, una e mezza, e gliele avrebbero decurtate dalle ferie, cosí la settimana a Saint-Moritz che aveva prenotato per l'estate si sarebbe ridotta in un amen.

E sí che la giornata precedente era iniziata bene, aveva un cliente caldo con cui concludere, se lo stava lavorando da un pezzo, poi però era squillato il cellulare e aveva avuto la malaugurata idea di rispondere.

– Signor Moretti?

Alla scuola Guido aveva dato il *suo* numero, non quello di Francesca, le madri sono troppo morbide, preferiva gestire lui le intemperanze del figlio.

– Cos'ha fatto, questa volta? – aveva chiesto tra i denti.

– Oggi Davide aveva il compito di recupero, l'insegnante di matematica si era tanto raccomandato. C'è una ragione per cui non è venuto a scuola?

Guido aveva inghiottito a vuoto. Quindi aveva chiamato Francesca. Poi aveva chiesto il resto della giornata libera, era andato a scuola e aveva saputo che quella mattina, oltre a Davide, nemmeno il suo migliore amico Paolo si era presentato. Allora era andato dai genitori di Paolo. Li avevano sentiti gridare fino in mezzo alla strada, lui che li accusava di non saper educare il figlio, loro che sostenevano che fosse stato Davide ad averlo traviato. Si erano attaccati al telefono tutti quanti, lasciando perdere la polizia, tanto era chiaramente una bravata. Ma nessuno dei ragazzi aveva risposto, e verso sera Francesca aveva iniziato a piagnucolare preoccupata: se avessero avuto un incidente?

– Un incidente? – aveva detto Guido. – Due sedicenni a piedi?

Solo allora gli era tornato in mente che, una settimana prima, o forse venti giorni, non ricordava bene, Davide gli aveva chiesto il permesso di andare a una festa. Una cosa assurda a casa del diavolo, avrebbe dovuto prendere un treno e due autobus per arrivarci, e ovviamente gli aveva detto di no. Se lo fosse meritato con i voti, almeno, invece quell'anno i cinque e i quattro cominciavano già a fioccare. Poco prima di mezzanotte Francesca aveva gridato: – Lo ha acceso! Lo ha acceso!

Aveva cercato di fare il numero, ma Guido le aveva strappato il telefono di mano e aveva chiamato lui. Davide aveva risposto dopo cinque squilli, in sottofondo un fracasso d'inferno.

– DOVE SEI, DISGRAZIATO?!

– Torno domani.

– Dimmi subito dove sei!

– Prendo il treno delle otto e dieci.

La comunicazione si era interrotta, Guido aveva provato a richiamare tre volte ma niente. I genitori di Paolo, con aria sostenuta, avevano telefonato poco dopo per riferire che anche il loro ragazzo si era fatto vivo, in maniera un po' piú loquace, aveva detto di essere andato a una festa, che era dispiaciuto, che dormiva a casa di amici e sarebbe rientrato l'indomani. Durante la notte Guido si era girato e rigirato nel letto, pensando a ogni possibile punizione da infliggere a quel piccolo teppista. Perché stavolta avrebbe dovuto capirla. Il mattino dopo si era alzato, aveva messo il completo scuro, la cravatta, si era sbarbato e pettinato, e alle otto meno un quarto era già in stazione. Aveva chiesto al bigliettaio da quale città fosse partito un treno alle otto e dieci diretto lí. Il bigliettaio gli aveva spiegato che non aveva il tempo di fare quella ricerca, poteva risalire al luogo di partenza dal tabellone. Guido aveva sottolineato che il mestiere del bigliettaio era proprio quello di fornire ai passeggeri informazioni simili, e l'altro aveva replicato che per le informazioni c'erano i tabelloni, le applicazioni sul telefono, il sito e un numero apposito. Guido gli aveva dato dell'incompetente, il bigliettaio del maleducato, e sarebbero andati avanti ancora, ma c'era la fila e lasciarono perdere. Guido era riuscito comunque a rintracciare il treno: arrivo previsto alle nove e quaranta.

Era andato al bar, aveva ordinato un caffè, aveva fatto girare il cucchiaino anche se non aveva messo lo zucchero, poi lo aveva sorseggiato con una smorfia e ne aveva lasciato metà, lanciando un'occhiataccia al barista. Fino alle nove e mezza aveva fatto su e giú per le scale in continuazione, preparandosi il discorso che avrebbe rifilato a quello sconsiderato di suo figlio, non appena avesse messo un piede giú dal treno.

Per prima cosa gli avrebbe detto che fine stavano per fare quei capelli ridicoli con i ciuffi rosa, che aveva tollerato solo perché al lavoro non voleva che gli dessero del retrogrado. Poi gli avrebbe spiegato come sarebbe stata la sua vita da lí sino a giugno, e quanto sarebbe peggiorata a luglio e agosto se per caso fosse stato bocciato.

– In campagna a zappare la terra, lo mando!

E non era un modo di dire, perché il padre di Guido si era in effetti ritirato in un piccolo podere, e lí di terra ce n'era quanta ne volevano.

Alle nove e quaranta Guido era al binario 1, le mani sui fianchi, lo sguardo a destra poi a sinistra, a controllare i passeggeri che scendevano. Non individuò capelli rosa, cercò di intuire se qualcuno potesse essere uscito dall'altro lato, si fece anche le scale di corsa per verificare un'eventuale fuga del figlio, ma i passeggeri arrivati erano troppo pochi, impossibile sbagliarsi: di Davide non c'era traccia.

«Il cliente da lei chiamato non è al momento raggiungibile».

Telefonò a Francesca.

– È arrivato? Sta bene? – gli domandò ansiosa.

– No. Ti ha chiamata? Ha detto se per caso ha cambiato treno?

Seguí una sequela di accuse, lei che lo aveva sempre difeso a spada tratta, il suo bambino, anche di fronte all'evidenza, e guarda qui che bel risultato! Tornò alla biglietteria, chiese senza tanti preamboli quale fosse il prossimo treno in arrivo dalla stessa città. Il bigliettaio evitò ulteriori questioni e gli disse che ne sarebbero arrivati due: un regionale e un intercity, rispettivamente alle dieci e dieci e alle undici meno venti. Guido uscí, attraversò il piazzale, rientrò, comprò un pacchetto di caramelle mentolate per cancellare dalla bocca il gusto di quel caffè spaventoso che aveva bevuto un'ora prima, infine raggiunse la sala d'aspetto. Lí andò dalla porta alla finestra e dalla finestra alla porta, passando davanti al distributore automatico a cui aveva lanciato occhiate truci. Quando entrò l'uomo delle pulizie si rimise sul binario in attesa.

Il regionale arrivò e ripartí, l'intercity anche, di Davide nessuna traccia.

Chiamò i genitori di Paolo. Nemmeno lui si era fatto vivo. Volarono di nuovo parole, mentre attraversava a grandi falcate tutta la stazione, giurando che mai e poi mai i due ragazzi si sarebbero frequentati ancora, piuttosto avrebbe cambiato scuola a Davide, anzi, che fossero loro a mandare da qualche altra parte quel debosciato del figlio.

Non sapeva cosa fare. Si rassegnò a guardare il tabellone, alla fine i treni erano facilmente riconoscibili e ce ne sarebbero stati altri due intorno all'ora di pranzo. Sempre che Davide fosse su uno di quelli. Pian piano iniziò a insinuarsi dentro di lui il dubbio che potesse non essere cosí. Rimase sul binario ad aspettare l'arrivo del primo. Niente capelli rosa. Tornò in sala d'attesa, inquieto. Ma che bisogno c'era di scappare di casa per andare a un concerto, una festa, o quel che diavolo era? Che bisogno c'era di andare proprio lí a farsi intontire di fracasso? C'erano anche da loro, i concerti, non ne avevano fatto uno in piazza, due domeniche prima? Guido il figlio non lo capiva. Mica era stato tanto deficiente, lui, a sedici anni. A parte che suo padre lo faceva filare, che dopo la scuola, di pomeriggio, lo metteva alla calcolatrice per farsi aiutare con la revisione dei libri contabili, e la domenica tutti a messa, altro che concerti. Si sentí sfiorare una spalla e trasalí. Era una donna, l'aveva vista entrando in sala d'aspetto, se ne stava seduta lí con due buste della spesa. Anzi, tre. Gli porgeva un bicchierino.

– L'ho vista un po' nervoso e ho pensato di offrirle un caffè.

Guido pensò che era un paradosso offrire un caffè a un uomo nervoso, ma lo prese perché la signora era stata gentile. Si rivelò migliore di quello del bar. Non fece in tempo a finirlo che il telefono squillò, lo schermo diceva «sconosciuto».

Eccolo lí, il deficiente!, pensò correndo fuori sul binario 1, per essere libero di urlare quanto voleva. Un tizio con un berretto giallo e uno zainetto da imbecille in spalla, che se ne stava con gli occhi rivolti al tabellone delle partenze, quasi lo fece inciampare. Guido lo superò, poi dentro al cellulare gridò: – ADESSO TU MI DICI DOVE SEI CHE VENGO A PRENDERTI IO!

Era un tale che voleva vendergli bitcoin.

Il treno delle dodici e quaranta si fermò con un cigolio lamentoso e scesero in quattro. Davide non c'era. A Guido sembrava di avere atteso mille treni, di aver visto miliardi di persone passare, che sarebbe andata avanti cosí per sempre, come in un girone dantesco. Che Davide non sarebbe arrivato mai e lui sarebbe stato condannato ad aspettarlo per il resto della vita.

Andò di nuovo alla biglietteria, deciso a farsi sentire. Superò di slancio le poche persone in fila e si piazzò davanti allo sportello.

– Adesso lei mi dice se il nome di Davide Moretti risulta abbinato a un biglietto acquistato! – gridò.

– Ancora lei? – disse il bigliettaio. – Guardi, mi dispiace, ma per la privacy non è possibile fornire quest'informazione.

Fu in quel momento che Guido sentí la voce.

– Scusi.

Qualcuno aveva parlato da dietro le sue spalle e Guido non si degnò nemmeno di rispondere.

– Scusi, – ripeté la voce, – veramente c'ero io prima di lei. C'erano anche tutte queste altre persone.

Guido si voltò e si trovò di fronte il tizio col berretto giallo e lo zaino che stava per farlo inciampare fuori dalla sala d'aspetto.

– Ma cosa si intromette, lei? Stia zitto, – disse.

– Ma fa sul serio? – disse l'uomo dal berretto giallo. – Lei non riesce nemmeno a rispettare una fila di cinque persone, mi passa davanti sbraitando, e io sarei quello che si intromette?

– Senta, stia al suo posto o dovrò rimettercela io.

– Cosa?

– Si tolga dai piedi.

L'uomo con il berretto giallo ebbe un sussulto. Posò lo zaino a terra. Guido lo fissò pensando che, se solo l'uomo avesse osato sfiorarlo, gli avrebbe fatto scontare quelle che non aveva mai dato a Davide.

Il bigliettaio disse a entrambi di calmarsi.

– Quello è minorenne, lo vuole capire?! – gridò Guido.

– È minorenne, chi? – chiese l'uomo dal berretto giallo.

– Mio figlio, – sbottò, piú per rabbia che per disperazione, – è via di casa da due giorni, non ho idea di dove sia ed è quattro ore che aspetto il treno con cui mi hanno detto che dovrebbe arrivare! E questi parlano di privacy!

– Signore, – disse il bigliettaio, sforzandosi di essere gentile, – purtroppo solo su certi treni il biglietto è nominale. E in ogni caso, le ripeto, non siamo autorizzati a diffondere i dati personali dei passeggeri.

– Dati...? Ma si può sapere come fate a non capire la situazione? – esplose Guido in direzione dello sportello.

– Com'è vestito? – chiese l'uomo con il berretto giallo.

– Eh? E cosa importa, che domande fa?

Di sicuro non ha un berretto giallo canarino come te, pensò. Ma non lo disse, e non disse nemmeno che non lo sapeva, in che modo fosse vestito suo figlio. Lo aveva accompagnato lui a scuola, il giorno prima, ma andava di fretta, e poi Davide si vestiva sempre uguale, di nero oppure con quelle felpe col cappuccio e una scritta sul davanti, come faceva a ricordarselo?

– Magari è un indizio, – disse l'uomo.

– Ha i capelli rosa, – rispose Guido.

– Rosa? – chiese il bigliettaio.

– Rosa, sí, rosa, – disse lui, – perché, non le sta bene?!

Il bigliettaio lo pregò di aspettare lí, che avrebbe provato a fare un paio di telefonate e a chiedere un favore a titolo personale.

– Quanti anni ha? – domandò l'uomo con il berretto giallo.

– Sedici da poco, – disse Guido, senza neanche voltarsi.

– Io ho una figlia piú o meno di quell'età e non è mai capitato che riuscisse a prendere l'autobus giusto al primo colpo.

Guido allora si girò.

– Lui non ha mai preso il treno da solo. O almeno credo, ormai non so piú niente.

– Peggio ancora. Magari non sapeva di dover prenotare per salire, è arrivato bel bello in stazione e ha scoperto che i posti erano esauriti.

Non ci aveva pensato. Era un'ipotesi, sí, anzi, era probabile.

– Forse, – ammise.

– Se lo immagini, a sedici anni è in una città che non conosce, vuole prendere un treno e invece non può, sa che lei è in pensiero… Si sarà buttato sul primo treno merci disponibile.

L'uomo gli sorrise, e Guido sentí per un attimo la tensione allentarsi. Fu tentato di restituire il sorriso, poi udí il bigliettaio tornare allo sportello e si girò subito.

– È sul treno che arriva alle tredici e quarantadue, al binario 1. Il capotreno è un mio amico, si ricordava di lui. Con i capelli rosa è stato piuttosto facile.

Guido annuí e disse solo: – Grazie.

Poi si spostò di lato per far avanzare la fila. L'uomo dal berretto giallo gli andò incontro.

– Ascolti, a sedici anni siamo stati tutti deficienti, poi a cinquanta ce lo dimentichiamo, – disse. – Stia tranquillo e vada a prendersi un caffè al bar.

Guido scosse la testa.

– Al bar il caffè fa schifo, meglio le macchinette ai binari.

– Buono a sapersi, – chiosò l'uomo.

Guido tornò di sopra, ma lasciò perdere la sala d'aspetto, ci aveva appena visto entrare una coppia e in piú non voleva che la signora del caffè gli chiedesse qualcosa. Si appoggiò a uno dei pilastri della pensilina, si sentiva stanchissimo e svuotato e provava una paura insidiosa e senza forma. Una paura che aveva a che fare con Davide e con il loro rapporto, e uno spaventoso senso di perdita.

Il treno arrivò puntuale, Guido guardò a destra e a sinistra come aveva fatto tutte le altre volte, ma a differenza delle altre volte scesero dal treno decine di passeggeri, se glielo avessero chiesto avrebbe detto centinaia, una marea umana all'interno della quale gli sembrava di non distinguere niente.

Poi d'un tratto, in mezzo ai passeggeri, dietro un vecchio con una giacca di velluto blu, riconobbe degli inconfondibili ciuffi rosa. Davide teneva le mani in tasca e la testa bassa, gli auricolari affondati nelle orecchie. Alzò lo sguardo giusto in tempo per accorgersi di suo padre che gli stava andando incontro con il solito passo deciso, e si fermò prima che lo raggiungesse, pronto all'impatto.

Ma Guido, quando incrociò gli occhi del figlio, l'espressione del suo viso, inspiegabilmente non si ricordò piú niente del discorso che si era preparato, non rammentò i motivi della rabbia, dimenticò le ragioni del suo risentimento, e per la prima volta nella vita non seppe cosa dire. Se ne stava lí, immobile al binario, agitato da una gratitudine senza nome, davanti a suo figlio che lo fissava da sotto in su, mentre le persone scorrevano loro intorno come fotogrammi di un film.

Riuscí solo a chiedere: – Almeno ne è valsa la pena?

– Sí, – disse il ragazzo.

La mano di Guido si sollevò piano e indugiò un secondo in aria, infine si posò sulla spalla di Davide.

– Torniamo a casa, – disse.

E andarono insieme verso le scale.

Bianca

(Tutto quello che hai sempre voluto è sul lato opposto della paura)

All'annuncio della fermata, Bianca si chinò a recuperare i libri e vide il foglio piegato sotto il sedile. Lo raccolse pensando fosse caduto a lei, potevano essere gli appunti di chimica. Lo aprí e ci trovò scritte alcune frasi, una dopo l'altra come fossero un elenco, tre erano sottolineate. Le contò tutte, erano sette.

«Non ci potrebbero essere giorni di sole, se il cielo non ci regalasse anche la pioggia».

«Quando ti sembra che la vita ti stia rovinando i piani, magari è semplicemente perché ha in serbo qualcosa di meglio, ma quel meglio dipende sempre da te».

«Per essere felici bisogna credere nella possibilità della felicità».

«È il tempo perso per la tua rosa che rende la tua rosa cosí importante».

«Chi ama, crede nell'impossibile».

«Riempi il tuo foglio coi respiri del tuo cuore».

«Tutto quello che hai sempre voluto è sul lato opposto della paura».

Si guardò intorno, non c'era nessuno nei sedili di fronte, nessuno su quelli dietro, accanto a lei solo lo zaino di Giò.

– Andiamo? – le disse, di ritorno dal bagno. Bianca non pensò nemmeno per un attimo che l'elenco potesse essere suo, conosceva bene la calligrafia di Giò, e poi non sarebbe stata una cosa da lui, perciò si infilò il foglio in tasca e lo seguí verso l'uscita del treno.

Stavano insieme da tre settimane, dopo un primo periodo di indecisione e ripensamenti, perché erano entrambi reduci da storie finite male. Si trovava bene con lui, non era l'amore travolgente che aveva sognato da ragazzina, ma era dolce e simpatico, e poi quelle spalle. Sospettava che Giò, invece, fosse molto piú coinvolto, che ci credesse davvero nella loro storia appena nata. E lei glielo lasciava credere, del resto: perché no? Scesero la scala abbracciati, e per un attimo furono in dubbio se entrare o meno nel negozio di gadget a prendersi degli auricolari da usare insieme, per condividere la musica. Lo aveva suggerito lei, le pareva una cosa cosí romantica. Ma una signora li superò ed entrò prima di loro, dentro c'erano già due persone, un ragazzo che la commessa stava servendo e un uomo con un berretto giallo, avrebbero perso troppo tempo. Quindi uscirono e, fatti pochi passi, com'era già accaduto in un altro paio di occasioni, Giò si era voltato a guardare verso la stazione ed era cambiato. Aveva tolto il braccio dalle spalle di Bianca e si era incupito.

– Cosa c'è?

– Niente.

Quanto le dava fastidio, questa cosa.

– Non può non essere niente, eri felice e allegro fino a un momento fa.

– E adesso invece non lo sono piú. Mi sono ricordato di una cosa che devo fare e di cui non ho proprio voglia, tutto qui.

Raggiunsero la macchina di Giò senza dire altro, salirono buttando tutto sui sedili posteriori, e si avviarono verso casa di Bianca. Lungo il tragitto, Giò si rese conto di essere stato spiacevole, e tentò di imbastire una conversazione a cui Bianca rispose a monosillabi. Davanti al cancello, mentre lei cercava le chiavi, scese dall'auto, la abbracciò, le chiese di sentirsi piú tardi, ma Bianca rispose che doveva andare in palestra. Non era vero, ma le stavano sulle palle i ragazzi quando si comportavano cosí. Giò ripartí e, dopo neanche mezzo minuto, Bianca sentí il *tlin* di WhatsApp.

«Ti chiamo dopo la palestra?»

Dato che il messaggio si leggeva per intero già dall'anteprima, decise di non aprirlo, perché Giò non vedesse la doppia spunta. Voleva tenerlo sulle spine ancora un po'.

Fu solo in quel momento che si ricordò del foglio.

Entrò in casa, salí le scale, lo tirò fuori lanciandosi sul letto e lo riguardò.

La calligrafia era maschile, senza dubbio, e chi aveva scritto le frasi le aveva numerate in fondo, per ordine di valore o forse di importanza, chissà.

Quella che preferiva era l'ultima: «Tutto quello che hai sempre voluto è sul lato opposto della paura».

Era davvero bella.

La cercò su Google, scoprí che era di un certo George Addair, una specie di filosofo mai sentito prima. Forse quel foglio apparteneva a qualcuno che studiava lettere, del resto il treno su cui viaggiavano lei e Giò era pieno di universitari, di tante facoltà. Decise di cercare anche le altre sei frasi e scoprí che appartenevano ai personaggi piú disparati, viventi o meno che fossero, una addirittura era tratta dal *Piccolo principe*. Questo la fece sorridere. Era un'immagine davvero carina quella di un ragazzo che va in cerca di belle frasi per… Per? Per scriverle a una ragazza, supponeva. Un atteggiamento romantico, abbastanza raro di questi tempi, si disse. Perché, certo, sarà anche necessaria tutta quella faccenda dei diritti guadagnati, della parità di genere e dell'emancipazione femminile, pensava Bianca, ma non aveva mai capito perché questo avrebbe dovuto negare la galanteria. La verità era che a lei sarebbe piaciuto un sacco essere corteggiata alla vecchia maniera, avere un innamorato che le cantasse serenate alla finestra – aveva letto, una volta, la storia di un ragazzo che era andato sotto la camera della sua ragazza e, siccome lei abitava al quinto piano, ci aveva fatto salire due casse bluetooth legate a dei palloncini, poi si era messo in piedi sul tetto dell'auto e al microfono aveva cantato la sua canzone preferita –, o che le inviasse mazzi di fiori o lettere d'amore. Il telefono trillò di nuovo. Era un altro messaggio di Giò. Decise di aprirlo.

«Scusa, sono stato davvero stronzo, è che mi girava male».

– Grande. Un poeta, – disse Bianca alle tende della sua finestra.

Si mise sdraiata e riprese a fantasticare sul ragazzo che aveva scritto la lista, sul perché e per chi lo avesse fatto. Gli diede perfino un nome. Lo scelse bello, antico, da uomo di un tempo.

Lo chiamò Gualtiero. Era un nome anche un po' buffo, perché in fondo i ragazzi romantici sanno prendersi in giro. Quelli che si prendevano troppo sul serio, invece, avevano l'orgoglio fragile, ti mettevano il muso per niente e poi andavano in giro a darti della troia. Lei non li sopportava, i ragazzi musoni. Ma odiava pure quelli che non sapevano distinguere il momento dello scherzo dal momento importante, che ridevano di ogni cosa e pensavano che ironizzare sulla forma delle tue tette fosse dissacrante. I ragazzi erano cosí immaturi. Tutti, e Giò non faceva eccezione. Carino, dolce, per carità. Però ancora molto infantile, di un infantilismo viziato, capriccioso, quei suoi repentini sbalzi d'umore ne erano la dimostrazione. Lo rendevano talvolta pesante. Non come Gualtiero, che aveva una calligrafia svolazzante e leggera. E scriveva frasi d'amore che le sue tasche non riuscivano piú a contenere. Provò a concentrarsi sui visi incrociati in stazione quando era scesa, poi su quelli visti quando era salita.

«Potrebbe essere sceso alla fermata prima. Quasi di sicuro è salito con noi».

Posò il foglio sul comodino e tirò fuori il volume di fisica, l'indomani ci sarebbe stata un'esercitazione e voleva farla bene. Ignorò i messaggi di Giò fino a sera, poi gli rispose, rimanendo un po' fredda, ma fingendo che non fosse cosí. Il mattino dopo si fece trovare davanti al cancello con la gonna corta e gli stivali.

– Vuoi sedurre il professore? – scherzò Giò.

– È una professoressa. Guarda che la fisica è una materia per tutti.

– Non dicevo mica il contrario, – cercò di smorzare Giò. – Era solo una battuta.

La verità era che si era alzata un'ora prima per farsi la doccia e la maschera ai capelli. E i vestiti li aveva scelti con cura la sera precedente, come quando ci si prepara per un primo appuntamento. Non che si potesse fare illusioni, gli studenti che prendevano il loro stesso treno erano una marea, e probabilmente Gualtiero aveva altri orari, ma chissà. E poi poteva essere un tipo bruttissimo, smilzo e coperto di brufoli, mentre Giò – almeno di questo gli dava atto – sul fronte estetico e muscolare non temeva rivali.

«E quindi? Giò sa anche essere molto palloso. Sarebbe ora di finirla con questa faccenda del fisico», pensò.

Lo sapeva bene che quella di Gualtiero era una favoletta, ma la divertiva continuare a fantasticarci su.

Fece l'intero viaggio allungando il collo verso gli studenti che salivano e si ammassavano nei vagoni, se notava qualcuno di loro a scrivere o sottolineare, con il libro aperto sulle ginocchia, si faceva una passeggiata tra i sedili per sbirciare le calligrafie, nella remota speranza di. E invece, nulla.

Lei e Giò si salutarono con un bacetto tiepido, lui era ancora distratto, scriveva tantissimo sul cellulare ed era evidente che stesse litigando con qualcuno. Non gli chiese con chi, non si sarebbe fatta sciupare il gioco dall'ennesimo maschio musone.

Al ritorno, Bianca decise che si sarebbero seduti nella carrozza in fondo, e inventò una scusa per aspettare al binario fino all'ultimo minuto, controllando tutti i ragazzi che salivano. Due in particolare l'avevano colpita: uno con una cascata di ricci neri in testa e gli occhiali dalla montatura spessa, e uno spilungone con le cuffie che mugolava canzoni. Gualtiero avrebbe potuto benissimo essere uno dei due. Giò si mostrò infastidito dal suo atteggiamento, il malumore della mattina era passato e aveva solo voglia di star bene con lei, ma questa volta era Bianca a essere distratta. Dopo venti minuti di viaggio, si alzò dicendo di dover andare in bagno e percorse il treno avanti e indietro per vedere dove fossero seduti lo spilungone e il ricciolino. Il primo era due carrozze dopo la loro, il secondo era finito subito dietro la locomotiva.

Nessuno dei due sembrava particolarmente carino, lo spilungone aveva il viso affilato e una zazzera bionda, ma appariva davvero allegro, e seguiva con la testa la musica che ascoltava.

Il ricciolino era un tipo strano, indossava un cappotto che pareva uscito dritto dagli anni Settanta, fatto già di per sé anomalo, e leggeva due libri in contemporanea, appoggiati uno sull'altro, cosa che la meravigliò.

Bianca lo superò e tornò indietro lenta, cosí da tentare di sbirciare qualcosa da sopra la sua spalla. Il testo sotto non si vedeva, mentre l'altro era scritto in una lingua incomprensibile: arabo? Aramaico? Russo, forse. Si fece il treno a ritroso, e un risentito Giò le chiese dove accidenti fosse stata. Inventò bagni occupati e guasti allo scarico e trascorse la mezz'ora seguente a progettare il modo di controllare dove sarebbero scesi i due ragazzi.

Per un paio di fermate nessuno si mosse. Ne restava solo una e poi lei e Giò sarebbero arrivati. Niente le garantiva che uno di quei due potesse essere Gualtiero, ma non le importava. Quella storia immaginaria la stava intrigando molto di piú del ragazzo seduto accanto a lei.

Alla stazione successiva, senza dargli spiegazioni, si mise davanti all'uscita, e non appena scesero i primi passeggeri si sporse a guardare dalla scaletta. Lo spilungone non si vedeva, il riccio nemmeno. Rimase lí delusa a fissare la porta che si chiudeva, poi continuò a osservare fuori dal vetro. Il treno aveva appena iniziato a prendere velocità quando, in un lampo, le passò davanti una cascata di capelli scuri.

Era sceso! Il ricciolino era sceso! Non aveva un senso al mondo, ma il cuore iniziò a batterle fortissimo, avrebbe voluto attaccarsi al freno d'emergenza e buttarsi fuori di corsa, invece tornò al suo posto, ascoltò le ennesime rimostranze di Giò che cercava di apparire deluso e tenero insieme, e improvvisò che non si sentiva bene e che nemmeno quella sera sarebbe uscita.

Finirono col discutere, all'arrivo in stazione gli disse che non lo voleva il passaggio, che sarebbe tornata a piedi, anche coi tacchi. Lungo la strada tirò fuori dallo zaino il foglio e lo rilesse ancora.

«Tutto quello che hai sempre voluto è sul lato opposto della paura».

Trascorse il fine settimana chiusa in casa, sua madre si preoccupò, invece Bianca stava facendo una ricerca sugli alfabeti stranieri. Identificò con un buon margine di certezza le lettere del libro del ragazzo ricciolino come appartenenti all'alfabeto ebraico. Scoprí in che facoltà ci fosse un corso di lettere antiche che contemplasse anche lo studio di quella lingua e attraverso un'amica recuperò gli orari delle lezioni.

Il lunedí mattina, lei e Giò presero il treno separati, senza scambiarsi nemmeno un saluto. Al ritorno Bianca restò all'inizio del binario, fingendo di aspettare qualcuno. Il ragazzo ricciolino arrivò avvolto nel suo cappotto, la superò e andò a sistemarsi in uno dei sedili in fondo al primo vagone. Bianca attese qualche secondo, poi si sedette di fronte a lui. Il ragazzo tirò subito fuori gli appunti e si mise a studiare. Lei sbirciò senza farsene accorgere e ne studiò la calligrafia. Non era uguale a quella del foglio, però era simile. Quando il treno si mise in marcia pensò di nuovo: «Tutto quello che hai sempre voluto è sul lato opposto della paura».

– È ebraico, quello? – disse.

Il ragazzo alzò gli occhi, meravigliato.

– Sí, il corso del professor Marengo.

– Lo frequenta anche una mia amica. Cioè, un'amica di una mia amica, a dire il vero.

– Ah. Magari la conosco, come si chiama?

– Perché, tu conosci tutte le ragazze del tuo corso?

– Io sí, – disse il ricciolino. – Sono loro che non conoscono me.

Sorrisero. Lei allungò la mano.

– Bianca.

Lui la strinse piano, senza capire perché una ragazza cosí carina stesse attaccando bottone proprio con lui, ma non gli sembrò il caso di mettere in discussione la provvidenza.

– Carlo.

– Carlo, – ripeté Bianca, assaporando il nome, poi aggiunse in fretta: – Ti piace *Il piccolo principe*?

– «L'essenziale è invisibile agli occhi»! – rispose una voce alle loro spalle, facendoli sobbalzare.

Era solo il capotreno, un omone di mezza età che stava controllando gli abbonamenti.

– Mi sto facendo una cultura su Saint-Exupéry, – disse per giustificare la sua intrusione, e Bianca immaginò che stesse leggendo il libro al suo nipotino.

– Sí. Anche se viene citato cosí spesso da renderlo quasi insopportabile, – disse Carlo, riprendendo il discorso.

– E George Addair?

– Eh?

– George Addair, lo conosci?

– Il filosofo, intendi? Lo conosco solo per quella frase, sai, quella che stampano spesso sui Mug da colazione... che tra l'altro trovo molto vera.

– «Tutto quello che hai sempre voluto è sul lato opposto della paura»?

– Quella.

– È la mia citazione preferita, – disse Bianca.

Finirono a parlare di filosofia, fisica, ebraismo e di Antoine de Saint-Exupéry per il resto del viaggio, come due persone che si sono finalmente ritrovate, dopo anni di lontananza, e che vogliono recuperare il tempo perduto.

Quando arrivarono alla fermata di Carlo, lui restò inspiegabilmente seduto. Bianca, presa dalla conversazione, lo notò solo quando il treno ricominciò a muoversi.

– Ma quella era la tua stazione! – urlò d'istinto, senza preoccuparsi che lui potesse chiederle come facesse lei a saperlo.

Invece Carlo non le fece domande, le sorrise e basta, mentre il treno prendeva velocità, abbassò appena gli occhi, poi li rialzò su di lei.

– Lo so, – disse.

Giulietta e Antonio
(Tra un incontro e un addio non c'è alcuna differenza)

Nella notte del suo settantacinquesimo compleanno, Giulietta si alzò per bere.

Le sembrava di non avere mai avuto tanta sete.

Andò in cucina, prese un bicchiere dalla credenza, lasciò scorrere l'acqua nel lavello perché la voleva piú fresca. L'acqua fresca non fece in tempo ad arrivare.

Antonio fu svegliato dal rumore del vetro in frantumi, a cui seguí il tonfo sul pavimento.

Trovò sua moglie cosí, rannicchiata a terra, il corpo attraversato da brevi scosse, il rubinetto ancora aperto, piccoli cocci infilzati nella guancia. Li tolse uno a uno, piangendo, in attesa dell'ambulanza.

– Glioblastoma maligno, – sentenziò il dottore dopo tutti gli esami.

La malattia aveva fatto il suo lavoro in silenzio, staccando brandelli di carne un morso alla volta, aveva consumato dall'interno le fibre nervose di Giulietta, senza mai dare segni evidenti.

– Sei mesi da oggi, in assenza di terapie. Con le terapie potremmo guadagnare un anno, forse qualcosa di piú, dipende dalla risposta ai farmaci.

Antonio non si dava pace al pensiero che la malattia fosse sempre stata lí, mentre erano inconsapevolmente sereni, le volte in cui l'aveva baciata, quelle in cui le aveva massaggiato la schiena dopo un pomeriggio nell'orto, quando lei leggeva a letto e lui guardava la tivú con le cuffie, a causa del suo udito malandato. Era stata con loro tutte le notti degli ultimi anni, a covare nascosta, pronta a fare a pezzi quel che restava di un'esistenza tranquilla. Antonio non si perdonava il fatto di non essersi preparato a quel momento. Aveva dato per scontato che avrebbero concluso le loro vite insieme, invece c'è sempre chi se ne va per primo.

Fino a quella notte, erano stati una coppia felice. Provarono a esserlo anche dopo.

La vacanza fu un'idea di Giulietta.

Decise che non si sarebbe rinchiusa in un ospedale, quel che le restava avrebbero dovuto goderselo: andare a trovare gli amici che non vedevano da tempo, passare una settimana con i nipotini a Cesena, visitare finalmente Venezia.

Non si sarebbero spostati in auto, non voleva costringere Antonio a guidare, sarebbero andati in treno. Lui si oppose fino all'ultimo, alla fine accettò solo per il rispetto e l'amore che provava per lei. Aveva paura di quel che sarebbe potuto succedere, di vederla schiantarsi a terra in un luogo lontano da tutto, nonostante i farmaci anticonvulsivi, di sentirsi inerme come quella notte. Era imprigionato in un rancore sordo, perfino verso sua moglie, che grazie alla malattia sembrava, al contrario, sentirsi quasi liberata.

Cosí li troviamo qui, oggi, in una stazione di provincia, alla vigilia di un lungo viaggio.

Li vediamo mentre, a causa dell'ascensore guasto, trascinano tre valigie su per una rampa di scale, ridendo neanche fossero due scolaretti al primo appuntamento, nel tentativo di raggiungere la sala d'aspetto al binario 1.

Manca un'ora e mezza alla partenza del loro treno, ma Giulietta non voleva correre rischi. Una delle sue piú grandi paure è quella di perdere i treni, o di restare su un autobus. È cosí da sempre, Antonio lo sa. Sa anche che Giulietta adora aspettare, e ama riempire il tempo vuoto delle attese con piccole cose: sfogliare riviste, commentare gli articoli a voce alta, guardarsi attorno, chiacchierare. Per questo ha acconsentito a venire in stazione con largo anticipo. Per questo, quando raggiungono le poltroncine della sala d'aspetto, la asseconda mentre lei gli mostra le foto dei nipotini sul cellulare, già viste mille volte. Una signora dall'aria triste li fissa, è seduta dall'altra parte della sala. Ha tre borse della spesa che le coprono i piedi.

– Oddio, guarda, ad Aurora è caduto un altro dentino! – dice Giulietta contenta.

Antonio vede qualcosa lampeggiare sul monitor, si alza, si avvicina fin sotto, legge che il loro treno sarà in ritardo.

– Ma insomma, com'è possibile? I binari sono dritti, le velocità stabilite, cosa c'è di difficile? – sbotta. – Quando lavoravo in Germania, se un treno era in ritardo licenziavano il macchinista!

Giulietta lo guarda.

– Dài, su, orso che non sei altro. Perché invece non ci prendi qualcosa di caldo, lí alla macchinetta?

Lui la guarda un po' indispettito, odia il suo far finta di niente, che la situazione sia diversa da quel che è, ma non glielo direbbe mai. Non intende rovinare un secondo di questi giorni insieme. Va alla macchinetta, seleziona un espresso senza zucchero e un decaffeinato dolce, torna a sedersi accanto alla moglie.

– E guarda Gianluca! Ma che alto che è diventato! Dio, che voglia di riabbracciarli, – dice Giulietta.

Antonio sorseggia il caffè e la bacia piano sui capelli, un sorso e un bacio, un gioco innocente, lei ride e gli appoggia la testa sulla spalla, tiene il bicchierino del caffè stretto per scaldarsi le mani.

La signora con le tre borse della spesa ai piedi ha un'aria talmente triste, li guarda con tenerezza e malinconia. Antonio se ne accorge. Per confortarla vorrebbe tirarsi in piedi, al centro della sala, e urlare che trova insopportabile l'idea che sua moglie stia per scomparire, che farebbe volentieri a cambio con qualche anno in piú di tristezza, o di infelicità, basta che sia insieme alla sua Giulietta. Perché l'infelicità non lo ha mai spaventato, il vuoto della fine invece lo sgomenta. Non dice niente, continua a seguire con lo sguardo, sullo schermo del telefono, volti troppo piccoli per i suoi occhi velati dal tempo. Tutti se ne stanno cosí, per un po', ciascuno perso in pensieri diversi. Lui ogni tanto va al monitor delle partenze, come se potesse comparire un nuovo treno da un momento all'altro.

– Antò, mi porti fuori? – dice Giulietta. – Ho bisogno di un po' d'aria.

– Amore, fuori fa freddo.

– Che vecchio brontolone sei diventato. Dài, accompagnami.

Antonio si alza, offre il braccio a sua moglie che lo stringe, lui prende con l'altra mano le due valigie piú pesanti e lei trascina il trolley leggero.

Sulla porta, indugia per un attimo verso la signora con le tre buste della spesa.

– Buongiorno, – le dice.

La donna lo guarda sorpresa, gli sorride.

Sul binario, il vento è freddo ma l'aria ha quel buon profumo che annuncia la pioggia. Non c'è nessuno oltre a loro, forse perché è ancora troppo presto. A parte un tizio con un berretto giallo che ha appoggiato lo zaino sulla panchina, cerca di infilarci due sacchetti di carta. Da uno dei sacchetti spunta la copertina un libro.

Antonio sente che Giulietta allenta la presa, la vede oscillare, fa appena in tempo a prenderla.

– Amore, che c'è?

– Ma niente, Antò, un piccolo giramento di testa, – dice, – è stato solo lo sbalzo fra dentro e fuori, non ti preoccupare.

– E mi preoccupo sí, invece!

Giulietta accarezza il marito sulla guancia, come si fa coi bambini.

– Sto bene, – dice, – accompagnami sulla panchina, lí, dove c'è il signore con quello zainetto cosí carino.

– Possiamo? – gli dice Antonio.

– Ah, ma certo, – risponde l'uomo con il berretto giallo, togliendo di mezzo lo zaino. – Scusate, è che prima ero da solo…

Antonio aiuta la moglie a sedersi, si piega per seguirne il movimento, gli cadono gli occhiali da sole dal taschino. Si china per raccoglierli. Lei si appoggia allo schienale e respira a fondo l'aria fresca.

– È solo un calo di zuccheri, stai tranquillo.

L'uomo con il berretto giallo fruga in una tasca dello zaino.

– Una caramella? – dice. – Sono proprio quelle allo zucchero, le mie figlie ne vanno matte e allora ne ho sempre qualcuna anch'io.

– Grazie, che gentile, – dice Giulietta, allunga la mano per prendere la caramella, poi sente il telefono squillare.

– Pronto? – dice. – Marisa! Sí, sí, partiamo fra poco, Antonio, senti che c'è Marisa!

Antonio le fa un cenno, come a dire: parlaci tu, e si allontana di qualche metro.

– Marisa, sí. No, no, tutto a posto, è che Antonio lo sai com'è. Ma dimmi dei bambini! Le foto sono bellissime!

È in quel momento che l'uomo con il berretto giallo si avvicina.

– Tutto bene? – chiede ad Antonio.

– Sí, diciamo cosí.

– Cosí come? – lo incalza.

– Senta, le sembra la faccia di uno a cui va tutto bene?

– Non saprei, – dice l'uomo. – Però mi sembra la faccia di un uomo innamorato.

Antonio lo guarda, un po' si pente della sua irruenza.

– Perché quello zaino da liceale in gita?

– È di mia figlia, – dice l'uomo. – Lo uso per le trasferte lavorative brevi. Anche se insomma, oggi breve mica tanto. Sono bloccato in questa stazione da quasi tre ore e non vedo l'ora di tornare a casa.

– Allora è un uomo innamorato anche lei.

– Be', sa come si dice. Forse ne serve uno per riconoscerne un altro.

Antonio sorride.

– È il nostro ultimo viaggio insieme, – confessa.

L'uomo col berretto giallo non dice niente, Antonio alza gli occhi verso il cielo. Il brontolio di un tuono echeggia, lontano.

– È che, vede, quando l'ho incontrata… ha cambiato tutta la mia vita.

– Sí, conosco la sensazione.

– Mi ha aiutato a comportarmi bene, a ripulirmi. Nel senso letterale della parola. La vita prima di lei mi aveva quasi ucciso. Mi ha sposato contro il volere dei suoi genitori. E invece stiamo insieme da quarant'anni, ci crederebbe? Quarant'anni che non sono stati tutti rose e fiori, eh? Perché amarsi non è mica quella gran baggianata che raccontano nelle favole, o le farfalle nello stomaco che si immaginano i giovani. Amarsi è una gran fatica.

– Eh.

– E adesso, sul piú bello che eravamo riusciti a superare le difficoltà della vita, restando insieme... io non sono pronto a farmela portare via. Non è giusto.

– Ma sul serio? – dice Giulietta al telefono, cinque metri piú in là. – Sei stato bravissimo! La nonna e il nonno hanno per te un bel regalo, vedrai. Certo, sicuro, non appena arriviamo!

– La cosa tragica, vede, è che mi sono reso conto di una cosa, – prosegue Antonio.

– Quale?

– Che fra un incontro e un addio non c'è alcuna differenza, – dice. – Si tratta sempre di lasciar andare una parte di te, di vivere con quel che resta –. Si volta a guardare Giulietta che gesticola al telefono, gli è sempre piaciuto il suo modo di muovere le mani in aria. – Il fatto è che se durante un amore cambi piano, lasci indietro le parti inutili, un addio invece ti costringe a una rinuncia rapida. E io impazzisco per il fatto che tutti, tutti quanti, attorno a me, sembrano far finta di niente. I figli fingono che non stia succedendo nulla di grave. Gli amici pure. Perfino mia moglie fa come se niente fosse e mi tratta da ragazzino ansioso. Sono costretto a fingere anch'io, a tenere in piedi la recita. Ma la verità è che la conclusione arriverà presto. E vorrei solo potermi permettere la disperazione che sento, e allontanare la paura che, quando Giulietta non ci sarà piú, io ripiomberò nello schifo di prima.

L'uomo col berretto giallo abbassa gli occhi, se ne resta in silenzio per qualche secondo. Anche Antonio lo fa. Ascoltano il temporale avvicinarsi.

– Sa, mia nonna mi diceva che non bisogna mai lavare la moka, – dice l'uomo.

– Cosa?

– Mi diceva che la moka non va mai lavata, solo sciacquata in acqua fredda. Perché se la lavi, se la strofini internamente, soprattutto con detersivi aggressivi, se togli quella patina che si addensa attorno al filtro e al pistoncino, rovini il gusto del caffè.

– È una cosa che dice anche la mia Giulietta, non ho mai capito il perché.

– Perché in questo modo, se non la lavi, ogni caffè non è mai davvero nuovo, non riparte mai da zero, ma contiene un po' il sapore di tutti i precedenti. Tutti i caffè passati sono nel gusto di quelli futuri. Per questo i primi caffè con una moka appena comprata sono terribili. Perché non hanno alcuna storia alle spalle.

Antonio fissa l'uomo, non capisce come possa parlargli di caffè mentre sua moglie sta morendo.

– Vede, io di lavoro scrivo, e insomma sono abituato a ragionare per immagini. Per accostamenti. E mi sono fatto l'idea che questa cosa del caffè funzioni anche per le persone.

– Per le persone?

– Ogni incontro, soprattutto se è d'amore, è destinato a cambiarci per sempre, non crede? Non si cancella con niente. Le persone che amiamo entrano in noi proprio come sfumature in una miscela. Diventano parte di quel che siamo. Gli anni insieme, il loro ricordo, ci arricchiranno per tutta la vita. Voglio dire che, anche dopo, io non credo che lei tornerà quello di prima, penso che non ripiomberà in nessuno schifo. Sua moglie sarà dentro di lei, nelle cose fatte in due, in quel che rimane. Ogni giorno.

Antonio cerca di ricacciare giú il groppo che sente in gola.

– Io però bevo solo decaffeinato, – dice. – Ha un parallelismo anche per questo?

– Lo bevo anch'io, – dice l'uomo. – Anche se quello del bar qui sotto, ho saputo, è da denuncia.

Antonio sorride piano, per la seconda volta. Forse piccoli incontri come questo possono cambiare anche il gusto di una giornata, pensa. Si gira verso di lei. Il vento trasporta la risata argentina di sua moglie che commenta qualcosa al telefono.

Sarà stato il potersi liberare con uno sconosciuto, ma sente il labbro tremare senza preavviso, gli occhi inumidirsi, la vista che gli si appanna. No, non qui, non con lei, pensa. Non davanti a un estraneo. Non sa cosa fare. Una raffica di vento gli spettina i capelli radi, nuvoloni neri si addensano oltre la pensilina del binario.

– Madonna che luce fastidiosa che c'è oggi, eh? – dice l'uomo dal berretto giallo, infilandosi d'un tratto un paio di occhiali da sole.

Antonio lo guarda. Poi sfila anche i suoi dal taschino. Li indossa.

– Già, – dice mentre comincia a piovere.

Amanda
(Pensano tutti che tu sia cresciuta in un monastero)

Ma gliel'avrebbe fatta vedere. Oh, se gliel'avrebbe fatta vedere.

Amanda si sistemò di nuovo l'orlo della gonna, non che ce ne fosse bisogno. Ma mesi prima Silvia le aveva detto che portava le gonne come sua nonna.

– È la divisa, non posso scegliere io quanto farla corta, – le aveva risposto infastidita.

Non era vero, le Ferrovie dello Stato lasciavano ai singoli controllori la facoltà di aggiustarsi le divise addosso e nessuno le avrebbe rimproverato un paio di centimetri di orlo. Ma aveva voluto tenere il punto perché, se avesse iniziato a cedere anche su cose simili, Silvia si sarebbe sentita ancora di piú quella che, nel rapporto, impugnava il coltello dalla parte del manico. C'erano già quei vent'anni di differenza a farla apparire sempre inadeguata, le occhiate alle ragazze piú giovani, perfino le battute sugli uomini.

– Del resto fino all'anno scorso ero fidanzata con uno, – chiosava ogni volta che Amanda le faceva notare che non era giusto, non era corretto nei suoi confronti.

Si erano conosciute sul treno, Silvia che serviva civettuola i caffè nella carrozza ristorante, Amanda che si chiudeva nella cabina lí di fianco a controllare i rapporti. Era stata la ragazza a tentare il primo approccio, portandole un bicchierino pieno di una brodaglia mefitica e attaccando a chiacchierare. Che Amanda non fosse sposata e che fosse visibilmente mal disposta verso gli uomini lo sapevano in molti, ma le voci sulla sua omosessualità non erano mai state confermate. Silvia ci aveva provato, con la naturalezza di chi può accettare un rifiuto, tanto il mare è pieno di pesci. Invece Amanda non l'aveva respinta. Non c'era una ragione, anche se avevano pochissimo in comune, eccezion fatta per quella tratta adriatica che un paio di giorni a settimana percorrevano insieme. La convivenza era stata breve e dolorosa, a casa di Amanda, perché Silvia stava ancora con i suoi. Sei mesi di capricci, scenate, bronci, e ogni volta che aveva pensato: «Basta, adesso ci do un taglio», Silvia le aveva fatto due moine, scrollando i lunghi capelli biondi, e lei era tornata sui suoi passi.

Com'era difficile, a quasi cinquant'anni.

Silvia voleva fare solo cose che l'annoiavano a morte, aveva gusti dozzinali e un'assurda mania per *Il piccolo principe* che Amanda non riusciva a capire. Si erano viste insieme perfino il cartone animato decine di volte, dopo che tutte le proposte di Amanda di esplorare il cinema francese, o quello in costume, erano naufragate senza speranza.

Fino a quando, una mattina, Silvia le aveva detto: – Non ti amo piú.

Aveva fatto la valigia, impacchettato le sue chincaglierie con maghi e gufetti, e se n'era andata. Amanda non aveva provato a fermarla, cosí come non aveva mai provato a opporsi a tutte le piccole angherie di quella stronzetta. Non si trattava di aver paura di rimanere sola, era qualcosa di piú profondo e radicato: la sensazione di non poter essere la prima scelta di nessuno.

Due settimane dopo si era fatta accorciare tutte le divise di tre dita e aveva comprato una serie di rossetti sgargianti.

Gliel'avrebbe fatta vedere lei, la nonna.

Si sarebbe fatta mettere in turno con Silvia e l'avrebbe ignorata per tutto il viaggio, magari andando a prendersi un caffè insieme a un collega, e avrebbe sorriso tantissimo e...

Solo che, inspiegabilmente, le avevano cambiato tratta.

Non sapeva perché fosse successo, non ne aveva fatto richiesta, forse qualche collega aveva avuto dei problemi. Non era nel suo carattere indagare, in fondo questo era un tragitto piú comodo, piú vicino a casa, poteva prenderlo anche come una specie di premio, ma le rimaneva il sospetto che Silvia avesse detto o fatto qualcosa. I patti erano di non far sapere a nessuno della loro relazione, ma quella aveva ancora la testa di una ragazzina, poteva aver parlato per ripicca.

«Ma gliela farò vedere. Devo solo esserne sicura e poi avrò anche io qualcosa da dire».

– Ama, mi ascolti?

La voce di Marzia la strappò dai suoi propositi di vendetta.

– Sí. Scusa, stavo ripassando a mente il percorso.

– E cosa devi ripassare? È sempre lo stesso!

Marzia era la sua collega di turno, avevano trascorso insieme le ultime cinque settimane e Amanda avrebbe voluto strangolarla. Non per cattiveria, ma Marzia parlava solo di maschi. Quelli con cui era stata, quelli con cui sarebbe voluta stare, quelli che corteggiava mentre decideva se fossero o meno quello giusto (e poi non lo erano mai).

In piedi sulla banchina del binario 1 aspettavano il treno delle tredici e quarantadue per iniziare il turno, e le toccò sorbirsi il censimento di tutti gli uomini presenti in stazione.

– Quello biondo al binario 2, per dire, è troppo strano. Nel senso, è un bel tipo, ma se ne sta lí sulla panchina a leggere un libro, senza nemmeno un bagaglio.

– Magari deve fare un viaggio breve, – obiettò Amanda pur di dire qualcosa.

– E per un viaggio breve ti porti un libro? Ma non ce l'hai un telefono?

Amanda ripensò a Silvia, che viveva col telefono in mano, e le salí ulteriormente il nervoso. Per distrarsi sia dal ricordo dell'ex fidanzata che dalle estenuanti analisi sull'appetibilità maschile, iniziò a guardarsi intorno. L'uomo biondo sulla panchina del binario 2 stava leggendo un romanzo di cui lei non riusciva a scorgere il titolo, era troppo lontana, le sembrava che in copertina apparisse una statua classica, o forse il dipinto di una figura. Un libro impegnativo, altro che piccolo principe. No, non funzionava. Tirò ancora l'orlo della gonna verso il basso, pensando che alla prima occasione l'avrebbe fatta allungare di nuovo, e guardò dall'altro lato, sul loro binario. Un tizio con un ridicolo berretto giallo stava trafficando a terra con uno zaino, frugava come se cercasse qualcosa, e subito dietro di lui una coppia anziana saliva le scale per dirigersi in sala d'aspetto. Erano belli da vedere, sorridevano moltissimo, e sembravano divertirsi per il fatto che i loro bagagli erano troppo pesanti da portare su per la scala. Ad Amanda fecero tenerezza. Dovevano avere all'incirca l'età dei suoi genitori, ma l'atteggiamento era quello di due freschi fidanzati o sposi novelli. Lei non si era mai sentita una fresca fidanzata e men che meno una sposina, non ricordava una relazione nella quale non avesse avuto l'impressione di essere nient'altro che la coniuge pedante.

– Io, se fossi sua moglie glielo direi, – fece Marzia.

Amanda si scosse.

– Cosa? A chi?

– A quello del berretto giallo, che a una certa età anche basta andare in giro vestito da finto ragazzino, con la felpa e uno zaino consumato da scolaretta. Ma quanti anni avrà? Cinquanta? Sembra un barbone, magari ha qualche malattia contagiosa.

Amanda vagò con lo sguardo per ritrovare il tizio col berretto, e fu allora che incrociò quello della donna. Era seduta nella sala d'aspetto dietro di lei e aveva accanto ai piedi tre enormi borse della spesa.

«Ma cosa fa? Va in treno con la spesa?»

Era un pensiero come un altro, una maniera per distrarsi come un'altra. Ma di colpo le sembrò densa di significato. La donna, sentendosi osservata, le sorrise, e Amanda rispose al sorriso suo malgrado. No, non era normale che una donna con le borse della spesa prendesse il treno. Forse aspettava qualcuno? Ma chi? Una signora anonima, all'incirca di mezz'età, che non alzava gli occhi sullo schermo con gli orari, ma se ne restava semplicemente lí, quasi non avesse un altro posto al mondo in cui andare. La consapevolezza la invase tutt'assieme: lei e quella donna erano uguali. Non importava quanto lei fosse ben vestita e l'altra dimessa, quanto i suoi capelli fossero tinti di castano scuro mentre quella aveva una ricrescita alta due dita, che tra le mani lei avesse un trolley firmato e ai piedi della donna ci fossero tre sporte della spesa.

Erano sole, entrambe.

Con un'unica differenza: Amanda a momenti sarebbe salita su un treno e se ne sarebbe andata via, quella donna no. Quella donna che non aveva un libro, uno zaino, nemmeno un cellulare in mano, sarebbe rimasta in quella sala d'aspetto, invece Amanda se ne sarebbe andata. Perché per lei c'erano ancora delle possibilità. Non era finito tutto con Silvia, non sarebbe finito tutto con i cinquant'anni, e soprattutto non sarebbe finito tutto in quella stazione.

Sentí l'annuncio del suo treno.

– ... per dire, è troppo giovane per me, però è carino e a me quella stronzata delle scarpe rosse ha sempre fatto sesso, – concludeva Marzia al termine di un discorso che aveva sentito solo lei.

– Che cosa fai a cena? – le aveva chiesto Amanda, di punto in bianco.

– Mah, non lo so. Pensavo di mangiare in quella trattoria appena fuori dalla stazione di Santa Lucia.

– Se ti va mangiamo insieme.

– Uh, ma che evento! Se lo dico in giro non ci credono! Pensano tutti che tu sia cresciuta in un monastero!

Ulteriori dettagli vennero spazzati via dal rumore del treno e da quella folata di vento cosí familiare per Amanda, cosí nuova.

«Posso andarmene, – pensò ancora. – Posso uscire a cena. Posso decidere».

Lo stridore dei freni la richiamò all'ordine, prese il trolley e si avvicinò alla porta. Uscí l'altro capotreno con cui avrebbe fatto cambio di turno e dietro di lui una collega zoppicante. Amanda aveva fretta di salire, all'improvviso quel binario scottava.

– È tuo quel pacchetto? – le chiese il collega.

Era un tizio pedante e fastidioso con la passione per le barzellette, ogni volta lei cercava di tagliar corto per non sentirsene propinare un'altra. Le stava indicando dei fazzoletti nel punto in cui l'uomo col berretto giallo aveva trafficato con lo zaino.

– No, – rispose secca.

– Allora andrò a buttarlo, non si sa mai chi potrebbe averlo toccato.

Lo vide caracollare in avanti e istintivamente pensò che forse Marzia aveva ragione sull'uomo col berretto giallo.

– Ecco, appunto, quindi non perderci tempo e non toccarlo nemmeno tu, che magari ha su dei bacilli.

– Userò un fazzolettino, sono un uomo che sogna un pianeta pulito. Del resto è il tempo perso per la tua rosa che rende la tua rosa cosí importante! – disse lui, con tono enfatico.

Amanda restò spiazzata. «Se non è un segno questo!» pensò.

– È una frase di Saint-Exupéry, – disse.

– Certo, è il mio autore preferito! – disse il collega pedante. – Magari una volta ne parliamo.

E con questo ebbe conferma di quanto fosse imbecille pure lui.

– Sí, magari, – gli rispose d'istinto e pensando invece: «Credici».

Poi scappò sul treno.

Simone
(Oggi la camicia non sarebbe rimasta bianca)

Al binario 1 aveva preferito il binario 2, gli altri non li aveva nemmeno presi in considerazione, fosse solo per il fatto che erano piú corti. L'1 era stato la sua prima scelta, ma nei controlli preliminari aveva verificato che c'era sempre piú gente, forse per la presenza del bagno o della sala d'aspetto. Il 2, invece, aveva solo un distributore di bevande e un vecchio gazebo vetrato per ripararsi dalla pioggia, o dal freddo in inverno, e ci si fermavano solo quelli che andavano in ansia se non si trovavano sul binario con largo anticipo. Spostandosi verso ovest c'erano le panchine e i cestini per l'immondizia, sul lato est una panchina era rotta e, quasi in testa al binario, un cestino giallo aveva il portasacchetti danneggiato.

Lí, cosí in avanti, non ci andava quasi mai nessuno.

Questo lo rendeva perfetto.

Simone misurò in passi la distanza dall'ultima panchina alla fine del marciapiede, ventotto giunti al cestino, poi tornò indietro fingendo di passeggiare e riprese a contare fino a trenta. Era importante che la gente lo vedesse fare quelle manovre, un uomo impaziente che cerca di ingannare l'attesa prima dell'arrivo di qualcuno.

In effetti Simone aspettava, ma non una persona.

Aspettava un momento, l'attimo ideale e perfetto per morire.

Per prima cosa aveva scelto il treno. Doveva essere un convoglio in transito, che nemmeno avrebbe rallentato, un treno ad alta velocità con pochissime fermate che avrebbe attraversato la stazione come un fulmine, preceduto da un lungo fischio. Non ce ne erano tantissimi in giornata, e siccome lui sapeva bene che la sua presenza sarebbe stata notata maggiormente dopo il tramonto, aveva stabilito una forbice di tempo tra le dieci e le sedici. In quella finestra, aveva individuato sei treni, scesi poi a tre e infine a uno. Il suo treno sarebbe passato alle quattordici e diciannove, subito dopo il secondo annuncio che avvisava di allontanarsi dalla linea gialla.

Lo aveva scelto per una premura verso i pendolari, perché troppo spesso gli era capitato di trovarsi su quei treni zeppi di gente arrabbiata e stanca che stramalediva il suicida di turno, con considerazioni talvolta agghiaccianti. Erano discorsi terribili da ascoltare, fatti da persone che dimostravano ben poco riguardo perfino davanti alle peggiori tragedie, ma in fondo le capiva. Lui aveva trascorso metà della sua vita ad affrontare intoppi causati da altri. E quegli intoppi, in silenzio, gli avevano portato via tutto.

Simone non aveva piú niente già da un bel po'.

Viveva a casa di sua sorella, ospite sgradito che cercava di uscire presto e rientrare tardi, in mezzo qualche bicchiere o, piú spesso, qualche bottiglia. Niente lavoro, gli avevano negato la pensione di invalidità e, per uno sciocco cavillo, su quattro terreni che suo padre gli aveva intestato il fisco continuava a chiedergli soldi. Aveva cercato altre soluzioni, Simone, ma alla fine gli era rimasta solo quella. Voleva poter scegliere finché era ancora in grado di farlo.

La strada per l'ultima scelta era lunga trentanove passi, al limitare del marciapiede del secondo binario. Era già venuto altre volte per le prove generali, per vedere se qualcuno lo avesse richiamato o si fosse accorto di lui, ma non era mai successo nulla. In quelle occasioni si presentava sempre bene, usciva con i pantaloni buoni e la camicia bianca sotto il giubbotto, come un impiegato in pausa pranzo, la sigaretta in bocca e i polsini slacciati.

Oggi la camicia non sarebbe rimasta bianca, e sua sorella avrebbe smesso per sempre di mugugnare quando si trovava un panno di Simone infilato nella cesta dei suoi. Mancavano trentatre minuti, decise di tornare indietro per non dare nell'occhio. C'erano poche persone sul binario, un uomo alto e biondo aveva appena salito la scala per andarsi a sedere su una delle poche panchine buone a ovest, un altro con lo zaino in spalla e un berretto giallissimo stava consultando il tabellone delle partenze. Simone li superò entrambi con l'aria di chi si vuole godere i pochi raggi di sole caldo del primo pomeriggio. Avrebbe voluto concentrarsi, per un'ultima volta, sul consuntivo della sua vita di merda, quando una voce alle sue spalle gli chiese: – Mi scusi, ha per caso della moneta?

Si girò, aspettandosi il tossico di turno che racconta la storiella del biglietto da fare, e invece era l'uomo con il berretto giallo, gli porgeva una banconota da cinque euro.

– Volevo prendermi un caffè al distributore, ma ho solo pochi centesimi e questa, – disse l'uomo. – Mi hanno sconsigliato di prenderlo al bar, quindi non posso andare a farmela cambiare da loro. Lei ha monete, per caso?

Simone iniziò a frugarsi, ricordava di averne qualcuna, non nel portafogli, che avrebbe abbandonato sul bordo del marciapiede, ma in tasca sí. Tirò fuori tre euro e settantacinque centesimi piú un mucchietto di lanugine.

– No, a cinque euro non ci arrivo, – concluse.

– Senta, se non si offende li prendo lo stesso e il caffè glielo offro io.

Simone non si offendeva da tantissimo tempo, ormai, e l'elemosina gliela facevano già i parenti e i pochi amici rimasti, perciò.

– Va bene, – disse.

Banconota e monete passarono di mano. L'uomo col berretto giallo si diresse al distributore e iniziò a controllare i prezzi. Simone fu sul punto di lasciarlo fare e tirare dritto, ma sapeva cosa sarebbe successo: la macchinetta gli avrebbe mangiato i soldi e non gli avrebbe dato il caffè, era già qualche giorno che non funzionava. Non che fossero fatti suoi, niente lo era piú, ma se poi quello si fosse incazzato e fosse venuto a cercarlo perché non glielo aveva detto? E se avesse fatto una scenata? E se qualcuno avesse chiamato il personale per la macchinetta? E se il binario si fosse affollato di gente imprevista proprio il giorno, l'ora, l'attimo in cui lui aveva deciso di suicidarsi?

Lo richiamò.

– Ehi.

L'uomo col berretto giallo si voltò subito.

– Sí?

– Non a quella.

– Cosa?

– Non a quella macchinetta, le mangia i soldi e non le dà nulla. Vada all'altra, quella in sala d'aspetto. Lí il caffè è anche piú buono.

– Ah, okay. Grazie.

L'uomo col berretto giallo raccolse lo zaino e iniziò a scendere le scale. Simone controllò che fosse sparito e poi riprese a muoversi lungo il binario. Ogni tanto lanciava un'occhiata al marciapiede dell'1, dove cominciava ad assieparsi la gente in attesa del treno delle tredici e quarantadue. L'uomo col berretto giallo non ricompariva.

«Lo ha capito. Ha capito cosa volevo fare e sta chiamando la polizia», pensò.

Eccola, la paranoia. Lo sapeva, di essere paranoico, glielo diceva sempre anche quello dei servizi sociali. Ma sapeva di non poterci fare nulla, perché quando il tarlo cominciava a rosicchiare nella testa, niente riusciva a farlo smettere. Ma perché doveva succedere? Perché quel tizio doveva rovinargli anche la morte, dopo che gli avevano rovinato la vita?

Eccolo.

Era sbucato dalla scala del binario 1 e andava nella direzione opposta a quella che gli aveva indicato, verso i bagni.

– Non di lí. La macchinetta è nella sala d'aspetto!

Simone si mosse a ritroso, accelerando per intercettare l'uomo prima che andasse troppo avanti. Ma quello niente, procedeva diritto. Non lo vedeva che lí c'erano solo i bagni e il deposito bagagli? Sollevò una mano per attirare la sua attenzione, non funzionò. Ne sollevò due e si ritrovò addosso gli occhi di una donna che stava seduta su una panchina del binario 1, accanto a un tizio grasso. Lo stava fissando, lo stava proprio fissando quando lui aveva fatto di tutto per non essere notato. E quel tale col berretto che continuava a cercare un'insegna, un'indicazione, qualcosa.

– Ehi!

Lo aveva fatto. Aveva gridato da un binario all'altro.

– Ehi! Berretto giallo!

Quello capí che stavano chiamando lui, si guardò intorno e infine lo vide. Simone iniziò a fargli cenni per mandarlo nella direzione giusta.

– Di là, dall'altra parte! Nella sala d'aspetto!

L'altro alzò la mano e gli sorrise.

– Ah, grazie! Non la trovavo!

Simone si girò e tornò indietro, superando la donna sulla panchina e l'uomo con lei, che a questo punto lo fissavano entrambi. Niente, era andata, ormai il suo suicidio era del tutto rovinato. L'uomo col berretto giallo entrò in sala d'aspetto dopo che un altro tale ne era uscito come una furia, e Simone per un attimo temette insensatamente che stesse venendo da lui.

Accelerò il passo verso la scala e decise che avrebbe rimandato a un'altra volta, perché quella giornata aveva dimostrato che tutte le sue verifiche preliminari non erano servite a niente. Pensò che aveva cinque euro in tasca, ed erano comunque piú di quanto avesse quando era uscito di casa. Si fermò nell'androne con le mani sui fianchi. Il tizio che era corso fuori dalla sala d'aspetto gli passò davanti diretto alla biglietteria, o cosí gli sembrava, e per naturale reazione Simone si mosse nella direzione opposta ed entrò nel bar.

– Una sambuca, – chiese.

Nel bar temeva sempre di essere notato e che poi qualcuno lo avrebbe riconosciuto al binario, ma all'improvviso si rese conto che non gli importava. Bevve la sambuca d'un fiato e pensò che, in fondo, il treno era stata sí una buona idea, ma c'era anche un ponte, dall'altro lato della città. Certo, avrebbe dovuto capire quale fosse l'orario di minor frequentazione, e quanto traffico medio avesse. Poteva cambiare piano, era in tempo, si trattava solo di un altro ostacolo, l'ennesimo. Pagò e fece per uscire. In fila per entrare c'era l'uomo col berretto giallo.

– La macchinetta non mi prende l'euro, e di metterci i due non mi fido, – gli disse sorridendo.

Simone pensò che se non se la filava gli avrebbe chiesto indietro i soldi, poi sentí dall'altoparlante l'annuncio di un treno e lo usò come scusa per correre fuori.

Via dal bar, dalla stazione, dalla tentazione di tornare al binario 2.

Mauro
(Forse hai solo paura di volare)

Una mattina Mauro si svegliò ed era vecchio.

La sera prima era uscito con Giacomo, avevano asciugato le solite due pinte seduti al bancone del *Fuori Porta*, pasturando con gli occhi alla ricerca disperata di vita intelligente. Speranza vana, aveva concluso presto Mauro, ma la finta bionda seduta in fondo aveva risposto rapida al suo sguardo, apparentemente sicura nella sua tenuta a vita bassa, e dopo il racconto improbabile di una crisi sentimentale con presunta pausa di riflessione – chissà perché certe donne hanno sempre bisogno di darsi alibi, pensava Mauro – era andata a finire piú o meno come sempre.

Quella mattina, però, Mauro salutò il nuovo giorno con un gran senso di nausea e non era per via dell'alcol. Quando la vide, lí nel letto accanto a lui, dormire con la bocca semiaperta, la luce del mattino che rivelava impietosa il trucco sbavato e le ciglia finte, si scoprí infastidito dall'ennesimo corpo di cui non gli importava niente. La svegliò. Capí subito che la finta bionda sembrava essersi già fatta il suo film sulla giornata che li attendeva, mentre Mauro voleva trovare la maniera di restare solo. Era il suo giorno libero, se l'era lasciato sfuggire al pub, perciò la scusa del lavoro era difficilmente praticabile, dovette ingegnarsi. Prese il cordless di casa entrando in bagno e si chiamò al cellulare che aveva lasciato sul comodino. Tornò in camera da letto per rispondere alla telefonata, assumendo dopo qualche secondo un tono concitato. – Scusa, sai, – disse scuro in viso alla finta bionda, dopo aver riappeso, – ma il mio amico ieri sera ha avuto un incidente con la macchina. Sembra nulla di grave, ma devo correre in ospedale. Mi dispiace, anch'io avrei voluto passare un po' di tempo con te, sarà per la prossima.

Non si sentí in colpa neanche un po'.

Mauro aveva compiuto trentacinque anni il giorno prima, abbandonando la categoria giovani per sempre, comunque la si guardasse. Questo poteva essere un problema. Decise di risolverlo tornando a dormire, non appena la finta bionda uscí dalla porta con in mano il suo numero di telefono sbagliato.

Giacomo arrivò alle due del pomeriggio, inatteso. Suonò quattro volte.

– Ti hanno già dimesso dall'ospedale? – disse Mauro, aprendo la porta in mutande.

– L'ospedale?

– Niente, vieni dentro, – sogghignò.

Mauro preparò il caffè mentre Giacomo rollava un saporello, come li chiamava lui.

– Sono stanco, Giack, – disse sollevando il coperchio della moka, il caffè che saliva lento dal pistoncino sembrava ipnotizzarlo.

– E ci credo, avrai dormito quante ore, stanotte? – disse Giacomo. – Anzi: ma hai dormito? – Rise.

– Non è questo. Sono stufo di tutte queste miserie. Le serate al pub, le birre, conoscere gente di merda con una vita disastrata di cui non mi frega niente.

– Forse vuoi dire farti gente di merda di cui non ti frega niente –. Rise ancora.

– Anche, ma non è quello il punto.

– E quale sarebbe, il punto?

Esitò. – Ma niente. E passami 'sto coso, dài.

Giacomo lo scrutò.

Sai qual è il tuo problema, vecchio mio? Qual è sempre stato?

– Mh, – disse lui inalando il fumo.

– Che sputi nel proverbiale piatto. Quello in cui mangi, hai sempre fatto cosí.

– Che intendi?

– Prima fotti e poi disprezzi, – chiarí Giacomo. – Se consideravi la tipa di ieri sera una persona di merda, allora perché?

– Stai scherzando, vero?

– No, che non scherzo. Voglio dire, può capitare di scopare con chiunque, figuriamoci. Ma tu vai sempre con tipe del genere. Gente che non ritieni alla tua altezza. Basta che ci stiano, che siano lí, fai una cosa solo perché intravedi la possibilità di farla, non importa se ti vada o meno. Si può scopare? Bene, andiamo. Non conta che la tipa ti piaccia o no, non fa alcuna differenza. Sei uno scopatore inerziale.

– Ma va' a cagare –. Tossí.

– Aspetta, non fraintendere. Io per primo mi son fatto certe cose, lo sai meglio di me. Ma il giorno dopo ci rido su, ci scherzo. Tu invece vuoi dimenticare il piú in fretta possibile, desideri rimuovere l'esperienza, neanche ti facesse schifo. Salvo ricominciare da capo, ogni volta. E rinnegare di nuovo poi. È questo che non mi spiego.

– Che vuoi che ti dica. Sono un tossico, Giack, – disse. – Sono fica-dipendente.

– Vabbe', se è per quello siamo in due, mi sa.

Il campanello interruppe la loro risata.

– E chi cazzo è, adesso? – disse Mauro.

– Se non lo sai tu.

Mauro si avviò al citofono.
– Sí? – disse.
– Ciao, sono Ilaria!
– Ilaria chi?
– Dài, scemo.
Mauro riconobbe la *sh* strascicata. «No, dài», pensò.
– Ho provato a chiamarti piú volte, volevo sapere come stava il tuo amico, ma nella fretta devi avermi scritto il numero sbagliato perché la Tim mi dice che non esiste.
– Ah, ma pensa! – disse Mauro. – Scusami, è che stamattina ero del tutto rintronato.
– Cose che capitano, non preoccuparti. Comunque, senti, l'amico?
– Ah, no no, l'amico sta bene. Cioè, era una cosa meno grave di quel che sembrava in principio.
– Bene, sono contenta.
– Anch'io, – disse Mauro. – Grazie di essere passata.
– Ma figurati. Comunque, senti... che fai oggi?
Mauro guardò Giacomo che fumava in cucina, agitò la mano in aria come a dire non finirtela da solo.
– Ma io, oggi, veramente, guarda... stavo per andare da mia madre, – inventò colto di sorpresa. – Starò con lei anche a cena, credo.
– Ah, okay. Perché sennò ti avrei invitato a una cosa che...
– Eh, mi dispiace, ma purtroppo.
– Okay, okay.
– Allora ciao, grazie ancora per la premura.
– No, aspetta. E non mi dài il numero giusto?
Mauro ci rifletté un istante, odiava chi non coglie.
– Irina, senti.
– Ilaria!
– Sí, scusa, Ilaria. Comunque, ecco, a che ti serve il

numero, ormai sai dove abito, no? E poi, non è piú bello lasciar fare al destino?

Ci fu un silenzio di qualche secondo.

– Sei proprio un coglione.

Mauro non riappese il citofono finché non udí il ticchettio dei passi della finta bionda che si allontanava. Tornò in cucina.

– Chi era?

– Ma niente. Una tizia che ha sbagliato numero.

– Ha sbagliato numero al citofono?

– E passami ’sto fondino.

Mauro aspirò, si fermò quando sentí il retrogusto amaro di cartone bruciato.

– Sei proprio un coglione, – disse Giacomo.

– E che è, s’è sparsa la voce?

Risero.

– Senti un po’, ma la tipa che lavorava in radiologia? – proseguí Giacomo.

– Dici Elvira?

– Ma complimenti, Benati, vedo che ci ricordiamo pure il nome. E come sta?

– La rivedo domani sera.

– Cioè, ma sul serio?

– Sul serio. Che cazzo c’è di strano?

– Che c’è di strano? Tu che vedi una per piú di tre volte di fila? Non è che magari tutta ’sta stanchezza che dici ha un nome?

– Un nome?

– Eh.

– Ma fammi il piacere, – disse Mauro alzandosi. Prese le tazzine e le mise nel lavello, ci fece scorrere dentro l’acqua. Giacomo lo guardò.

– Amico, è incredibile quanto tu abbia paura, sai?

– Paura di che?
– Di quella parolina che comincia per «a» e finisce per «re», hai presente?
– Aviatore?
Giacomo rise.
– Quanto sei coglione, – disse.

Ho aspettato la pausa pranzo.
Avrei potuto farlo prima, avrei potuto risolvere già ieri sera, ma non mi andava di pensarci. Pensarci era pensarci, era premeditarlo, era ammettere con me stesso che Elvira è molto piú di ciò che mi ostino a credere. E allora l'ho rimandato a oggi, una cosa da fare di corsa, senza metterci la testa.
In fondo non è un regalo, no? È un… com'è che dice mia madre? Un pensiero. Un presente. Non si va a casa delle persone a mani vuote, giusto? Come se cambiasse chissà che, tanto nessuno ti porta mai qualcosa che ti piace davvero, è solo una perdita di tempo e di soldi, un'ipocrisia.
Ma ormai sono qui. Non ho perso tempo a girare, il negozio in stazione è sempre aperto e ci sono quelle cazzatelle che piacciono alle ragazze, cose futili, forme inutili. Non li capisco, questi posti, quando ci entro mi sento scemo, ho paura di toccare gli oggetti, mi sembra di avere le mani troppo grandi, non so. La commessa è carina, però ha un'aria di stizzita superiorità, e poi parla, parla, non la smette. E fa aumentare la mia indecisione. Forse è una scena per gli altri clienti, una tipa con gli occhiali e uno che sembra Babbo Natale solo con un berretto giallo. Loro toccano ogni cosa, ma sono sicuro che gliene frega zero di quello che compreranno. Proprio come a tutti.
La commessa alla fine mi convince a prendere un caricabatteria a forma di unicorno.

Me ne accorgo all'ultimo.

Ad attendermi nella via davanti a casa, mentre salgo in auto per andare da Elvira, c'è un ragazzo alto e magro, allampanato, con un gigantesco piercing al labbro e due orecchie enormi. E un tipo basso e un po' tarchiato, dall'aria svelta, ma quello che mi si avvicina è il terzo. Quello grosso.

Avanza verso di me con fare energico e mi dice: – Saresti tu, *Mmauro*? – caricando molto la *m*, in un'intonazione studiata a puntino.

Faccio di sí con la testa già intuendo il resto.

– Tu devi essere quello della pausa di riflessione, giusto? – gli dico a bruciapelo.

– Eh?

Mi guarda strano, nemmeno avessi appena svelato al mondo un indicibile segreto.

– Niente, lascia stare, – dico.

– Sono venuto a parlarti di Ilaria, stronzo.

– Sí.

– Non si trattano cosí le donne, stronzo.

Vorrei intavolare tutto un discorso sul fatto che non si dovrebbero trattare cosí nemmeno gli uomini, se è per questo, e invece lui ci si fa trattare eccome. Ma non mi sembra il tipo da accettare questo genere di ragionamenti, almeno non in questo momento. Il bello è che sembra davvero speranzoso riguardo al fatto che avermi trovato cambierà qualcosa nella sua vita. Che vendicare l'onore ferito potrà riportarla da lui.

– Senti, non so cosa ti abbia detto Ilaria, ma è di sicuro tutto vero. Non ho alcuna giustificazione se non che lei era lí. Persona sbagliata nel momento sbagliato. Portale le mie scuse, per favore.

Cerco di apparire dispiaciuto, perché ho una fifa boia delle risse. Ho sempre paura che qualcuno si ferisca sul serio, non necessariamente io. Proprio per questo, nel corso degli anni, ho elaborato una strategia che tutto sommato minimizza le conseguenze: lasciarli fare.

– Le mie scuse un cazzo, stronzo!

Il tizio parte con un gancio che vedo arrivare tre secondi fa. Mi lascio centrare sulla guancia. Fa abbastanza male, non quanto temevo. Si vede che tiene di piú alla scena che a picchiare sul serio. Non a caso si è portato i due tipi come testimoni, nella speranza che poi confermino tutto a Ilaria, è logico. Non riesco a non immaginarmi il quadro. «Gli ho spaccato la faccia, a quel pezzo di merda, vero? Quel bastardo!»

Mi tocco il labbro mettendo su l'espressione piú sofferente che mi viene. Ci fissiamo. Sembra in attesa di una mia reazione, che non arriverà.

– Hai finito?

Il tizio non si aspettava la domanda. Soprattutto, non si aspettava che restassi in piedi. Per mia fortuna, il labbro spaccato sanguina hollywoodiano e ciò dovrebbe gratificare mister Pausa Di Riflessione, spero. Mi blatera qualcosa circa il fatto che per stavolta mi è andata bene, che era solo un avvertimento, che se mi avvicinerò ancora alla *sua* donna non sarà tanto magnanimo. Lo rassicuro che non capiterà piú, che ho troppa paura di lui, sul serio. Dopo un'ultima intimidatoria occhiata se ne va tronfio in mezzo ai suoi testimoni. Io mi avvio sanguinante premendomi un fazzoletto di carta sul viso.

– Oddio, Mauro! Che ti è successo?! – urla Elvira aprendomi la porta.

– Niente. Ho avuto da discutere con un tipo che mi ha tamponato. A proposito, questo è per te.

Le porgo il pacchetto col caricabatteria a forma di unicorno, ringrazia e lo getta sul divano senza manco aprirlo. Potrei amarla sul serio, per questo.

– Ma dài! Ma guarda che roba! Vieni in bagno che perdi sangue, presto!

Elvira mi passa un asciugamano pieno di ghiaccio sulla bocca, mi accarezza la testa e non riesce a trattenere la domanda.

– Almeno gliele hai date anche tu?

– No, le ho prese e basta, non mi piace la violenza. E poi, in un certo senso, io gliele avevo già date *prima*.

– Come, prima? Vuoi dire che hai cominciato tu? Ma se hai appena detto che...

– No, no. A incominciare è stata lei.

– Lei? Non capisco. Lei chi?

– Niente. Non è importante, Elvira, davvero. È roba vecchia e che non mi riguarderà mai piú. Non è importante, – le confermo attirando il suo grembo verso la mia faccia. – È importante essere qui con te, ora, e basta. Di tutto il resto non mi frega niente.

Elvira mi stringe con cautela.

– E come farai a baciarmi adesso, eh? – mi dice.

– Ti bacio col profilo, – le dico indicandomi il lato buono del labbro con un'espressione fiduciosa.

La sua risata riempie la piccola stanza da bagno come vapore dopo una doccia, e io riesco solo a pensare da quanto tempo non sentivo una donna ridere cosí forte per qualcosa uscito da questa stupida bocca sanguinante. Non so perché, ma mi torna in mente la discussione del giorno prima.

– Aviatore, – mi esce sottovoce, senza accorgermene.

– Cosa?

– Ah, scusa. È un discorso di ieri con Giack. Pensavo

che è una parola che mi spaventa da sempre, non è buffo? – dico. – Forse la collego al precipitare, non so.

Elvira mi guarda come sapesse con precisione di che sto parlando. Mi passa una mano tra i capelli, posa il suo indice sulle mie labbra.

– Forse hai solo paura di volare, – dice.

Marco
(Il problema non sono io, sei tu)

Lo stava facendo: la stava lasciando.

Era lí che passeggiava tra il portico della stazione e l'androne da piú di mezz'ora, totalmente concentrato sul telefono.

Dopo due anni in cui aveva aspettato con pazienza che lei cambiasse, che crescesse, che si rendesse conto che una coppia è composta da DUE persone, e non solo da una che detta legge, alla fine si arrendeva. Aveva anche un ottimo pretesto: la sera prima lei gli aveva fatto una piazzata perché lui era uscito con gli amici e qualcuno le aveva riferito di una certa ragazza, una che gli era stata addosso per tutto il tempo. Cosa vera, per carità, ma era *lei* che era stata addosso a *lui*, non viceversa. E all'ennesima critica, all'ennesima accusa, non aveva retto piú.

Quella mattina si era alzato già nervoso, la decisione maturata durante la notte. Il suo turno al lavoro sarebbe iniziato a pomeriggio inoltrato, aveva tutto il tempo per chiudere quella storia. Era arrivato davanti alla stazione in auto, aveva parcheggiato e si era diretto subito in negozio, le idee d'un tratto chiare e il piglio deciso. Poi, dalla vetrina l'aveva vista e aveva fatto marcia indietro. Era piú forte di lui, non ci riusciva ad affrontarla di persona. Chiuso nella sua stanza, ancora in casa con i genitori, si immaginava spesso di parlarle, con discorsi precisi e taglienti, presentando motivazioni inattaccabili. Invece, ogni volta che se la trovava davanti, i capelli fermati indietro come quando andava al liceo e lui non aveva il coraggio di avvicinarla, il naso coperto di lentiggini, la bocca un po' imbronciata, le parole gli scappavano via, e lui non poteva far altro che biascicare qualcosa di incomprensibile, mentre lei lo prendeva in giro perché «borbotti come un vecchio». Era sempre cosí sicura di sé, Giada, sempre convinta di essere nel giusto. Se solo una volta si fosse messa in dubbio, pensava Marco, se solo avesse provato a calarsi nei suoi panni. Invece gli diceva che si comportava da sfigato, che non teneva abbastanza a sé stesso, che non aveva ambizioni. E Marco non trovava il modo per spiegarle che esistevano tante sfumature di ambizioni, comprese le sue. Non è forse un'ambizione quella di vivere tranquillo, divertirsi con gli amici, avere un lavoro sicuro per quanto umile, una casa anche piccola, una moglie, due figli, un labrador di nome Freddie in onore del suo cantante preferito?

I suoi sogni finivano lí, e non c'è nulla di male a sognare in piccolo, se il sogno è il tuo, se te lo sei scelto e coltivato perché davvero non vuoi altro. Ma Giada non lo accettava, usava termini tipo «spaventato» e «debole», e ogni tanto gli chiedeva scusa, piú spesso no.

Quando litigavano, e la sera Marco tornava a casa, la madre gli metteva il piatto davanti e gli chiedeva: «Vale tutto questo?»

Lui rispondeva di sí, ma con il tempo ne era stato sempre meno sicuro e, dopo l'ultima scenata, la risposta, quantomeno quella che aveva dato a sé stesso, era cambiata. No, Giada non valeva piú tutto questo. Era rimasto a poca distanza dalla vetrina, guardando i viaggiatori andare e venire. Lei era lí che serviva, chiacchierava, faceva pacchetti, come se nulla fosse.

Allora Marco aveva preso il cellulare e le aveva mandato un messaggio.

«Ho ripensato alle cose che ci siamo detti ieri sera e ho deciso che no, non ho niente di cui scusarmi».

Poi si era messo lí e aveva aspettato. Il cliente in negozio era uscito e lei aveva preso in mano il telefono. Messaggio visualizzato. Marco continuava ad attendere, nascosto dietro un pilastro, un attimo guardava la vetrina e l'attimo dopo lo schermo. Giada fissava il cellulare con aria annoiata. Non gli rispondeva. Se avesse digitato qualcosa sarebbe comparso «*Giada sta scrivendo...*», invece niente. Poi era andata off-line dall'applicazione. Dalla vetrina la vedeva scorrere con le dita sullo schermo, si era messa a guardare qualcos'altro, forse si stava facendo un giretto sui social, mentre lui restava lí, un imbecille in attesa. «Stavo servendo un cliente, – gli avrebbe di sicuro detto. – C'era gente, non potevo risponderti», e poi tutte quelle storie sulla telecamera montata in cima alla porta, quando in realtà lo ignorava apposta. Faceva la superiore, proprio come al liceo, uguale! Iniziò a scriverle un nuovo messaggio quando qualcosa cadde nel bar davanti al quale si era piazzato, spaventandolo.

Fece due passi indietro per evitare che Giada lo vedesse, richiamata dal frastuono, e un tizio gli passò di fianco di corsa, infilandosi nel negozio.

Solo a quel punto riprese a scrivere.

«Sono stufo di sentirmi sempre giudicato o sotto esame. Se non ti vado bene come sono e soprattutto se non ti fidi di me io non posso farci niente».

Dal bar uscí un uomo con uno zaino in spalla e un berretto giallo in testa ed entrò anche lui nel negozio. Sembravano farlo apposta. Il tizio si mise a gironzolare, Giada invece parlava con il ragazzo che era entrato per primo. Non aveva piú nemmeno abbassato gli occhi sul telefono.

Dalle scale iniziò a scendere una fiumana di gente arrivata con l'ultimo treno e Marco si fece ancora piú indietro. Non vedeva Giada, tutto quello che sapeva era che non aveva letto il suo ultimo messaggio.

«E se fosse meglio cosí? Ha avuto la sua occasione per rispondermi e ha scelto di non farlo. Posso andare dritto e dirle tutto».

Si voltò prima che la vetrina fosse visibile e scrisse un nuovo messaggio.

«Non è che devo chiederti il permesso per uscire o per essere gentile con la gente e nemmeno devo scusarmi per come sono fatto. Il problema non sono io, sei tu».

Si girò a controllare, ora si vedeva di nuovo l'interno, ma Giada si era spostata dal bancone per mostrare qualcosa al ragazzo. Una donna, tra gli ultimi passeggeri a scendere la scala, entrò in negozio, quindi ora Giada non avrebbe potuto rispondergli in alcun modo, era l'occasione perfetta. Riprese a digitare veloce.

«Magari potresti anche calcolarmi, penso che dieci secondi per rispondere al tuo ragazzo non siano chiedere troppo».

Suonava petulante, anzi lo era, ma in quel momento non riusciva a pensare niente di meglio. Tanto lei avrebbe comunque dato la sua versione alle amiche, facendogli fare la peggiore delle figure.

«Cioè, se per te non è importante quello che sta succedendo in questo momento allora non ha davvero senso continuare a stare insieme».

Il cliente prendeva e posava oggetti in continuazione, l'uomo col berretto giallo e la donna valutavano eventuali acquisti, Giada restava al suo posto sorridente, spostandosi i capelli da una spalla. Tutto lí. Lui la stava lasciando e quello era il massimo che riuscisse a ottenere. Fece per digitare un nuovo messaggio e gli partí una chiamata. Andò nel panico, cos'era successo, come si faceva a spegnere affinché quella chiamata non ci fosse mai stata? Schiacciò tutto quello che poteva, in preda al terrore, e alla fine la telefonata si interruppe. Alzò gli occhi. Giada era lí tranquilla dietro al suo bancone che parlava alla donna, nascosta in un angolo del negozio. Non aveva risposto e non aveva reagito alla chiamata.

«Fino a questo punto è sicura di me», pensò.

Nessun messaggio aperto, nessuna risposta alla chiamata. Allora premette di nuovo sul suo nome e fece squillare. Lui chiamava e lei ritirava una scatolina dalle mani del cliente e iniziava a fare un pacchetto.

– «Segreteria telefonica. Risponde il numero...»

Marco ascoltò fino in fondo il messaggio automatico, poi arrivò il *bip*. E non seppe come gli uscí questa frase: – Ciao Giada. Ascolta, ho pensato a ieri sera e niente, avevi ragione tu. Mi dispiace averti mentito. Con quella ragazza è successo quel che è successo, anche perché forse era arrivato il momento per noi due di troncare. Spero tu non ci rimanga troppo male. Troverai qualcuno di meglio.

E spense il telefono.

Si sentí riempire da una sensazione inedita, di trionfo, quasi di potere. Da quanto non gli capitava? Da mai? Fu come se all'improvviso, guardando le cose attorno a sé, persino quel tipo seduto appena fuori dalla stazione che dava da mangiare ai piccioni, o la bici scassata appoggiata vicino a lui, o la vetrina del bar con su scritto «Inventa tu il tuo sandwich», o quella coppia che stava litigando davanti alla libreria, o il 51 che si avvicinava alla fermata atteso da uno sciame di ragazzi, fu come se di tutto questo percepisse finalmente la terza dimensione. Tutto gli appariva piú *solido*, gli sembrava di toccare le cose con gli occhi, percependone non solo la superficie ma anche la profondità, l'odore, la carnalità. Il mondo gli appariva piú *denso*.

Doveva essere questo che provava lei ogni volta che lo faceva sentire superfluo e in bilico sulla sua volontà. Bella sensazione, pazzesca davvero. «La libertà della verità porta a questo», pensò.

Poi la sensazione scemò e ne arrivò un'altra. Fredda e spiacevole, il contrario della precedente.

Ma che cazzo aveva fatto? Che aveva detto? Le aveva dato una lezione, ecco cosa. Ma una lezione di che, e quale verità? Che lui non l'aveva nemmeno sfiorata, quella ragazza, manco si ricordava il nome! Faceva lo stesso, lui Giada la voleva lasciare e ogni strategia valeva il risultato.

La voleva lasciare, giusto?

«No», disse una voce dentro di lui.

La consapevolezza lo fece rinsavire d'un colpo.

Aprí i messaggi e cominciò a cancellarli furiosamente, tranne quello che lei aveva già letto. L'uomo con il pacchetto uscí, anche la donna si avvicinò all'uscita, e Marco pregò che qualcuno chiedesse qualcosa a Giada, che il tale col berretto giallo andasse alla cassa con un calendario o delle cuffiette a forma di rana, ma la sola cosa che stava succedendo era che Giada aveva preso in mano il cellulare. Marco si buttò sulla tastiera e scrisse: «Non ascoltare la segreteria!»

Quando alzò gli occhi di nuovo la donna era scomparsa, l'uomo con il berretto giallo non si vedeva piú.

«Non farlo, non farlo, Giadina, amore mio, non farlo, sono un deficiente, ho detto solo cazzate, non farlo!»

La vide corrugare la fronte e portarsi il telefono all'orecchio. Dopo qualche secondo, il suo viso assunse un'espressione che non le aveva mai visto. Giada abbassò il cellulare e iniziò a piangere.

Per la prima volta, da quando la conosceva, gli sembrò davvero una bambina spaesata.

E mentre l'uomo con il berretto giallo si avvicinava al bancone, forse per chiederle come stesse, Marco ebbe l'unica certezza della sua giornata: seppe che era lui che stava per essere lasciato.

Emma e Luca
(Alzati)

– Aiuto… Lu – Emma non fa in tempo a finire la frase che un pugno le chiude la bocca. Il sangue arriva fino alle scarpe di Luca.

Luca non sa perché li abbiano fermati. Stavano solo passeggiando, lui e Emma. Passeggiando e basta. La loro prima uscita. Era andato a prenderla alla stazione alle tredici e quarantadue, voleva fare il cavaliere, aspettarla davanti alla porta del treno, invece si era incartato con il numero dei vagoni, era andato dalla parte sbagliata e quando finalmente l'aveva vista c'era il capotreno che l'aiutava a scendere perché si era messa dei trampoli assurdi ai piedi, e rischiava di rotolare giú dalla scaletta. Si erano guardati da lontano cercando di non ridere.

«Ancora un po' e mi ammazzo», gli aveva detto sottovoce quando l'aveva raggiunta.

«Ancora un po' e ammazzi me, sei cosí bella che mi viene un infarto a diciott'anni».

Le aveva dato il braccio sulle scale ed erano arrivati nell'atrio impastati in un misto di ridarella da imbarazzo e vampate di attrazione. Lei si era sistemata il vestito davanti alla vetrina del negozio di gadget, da dentro un vecchio con un berretto giallo in testa l'aveva guardata perplesso ed erano scappati via morendo dalle risate.

Avevano passato l'intero pomeriggio insieme, erano stati al cinema, in giro per il centro, poi a mangiare un hamburger, e adesso Luca la stava riaccompagnando al treno.

Emma è a terra, l'uomo è sopra di lei.

– Aaahh!

Luca è pietrificato. Non sa cosa gli succede. Non capisce. Non sa cosa fare. Vorrebbe muoversi, fare qualcosa. Fare come quelli nei film. Una voce dentro di lui grida, lontano. Sente le ginocchia piegarsi, colpite da una forza che lo spezza. Cade. Rotola sulla strada. Uno gli è addosso.

(Quanti sono?)

Emma continua a gridare.

– Zitta! – sbotta un altro.

Luca sente un rumore simile a uno schiaffo, ma piú forte. Poi un dolore fortissimo e vede tutto nero e in mezzo al nero le lucine come quando si stropiccia gli occhi al buio, ma piú grandi. Piú intense.

– Aaaaahh!

Il dolore è tutto suo, adesso. Arriva a ondate, arriva ancora. Fa meno male, stavolta. Luca sente qualcosa che si rompe. Tipo vetro, non saprebbe dire. Poi un sapore metallico e una sensazione strana, gli sembra di masticare riso crudo, invece sono i suoi denti. È sicuro di avere gli occhi aperti ma non vede quasi niente, solo tanti piccoli lampi su sfondo scuro.

Sto per svenire, pensa.

D'un tratto non sente piú il peso del tipo su di lui.

– AAAhiaaaaaa! – Emma urla. Ancora.

Luca ha paura per la faccia, per quel che resta dei suoi denti, per gli occhi. Per Emma. Fa male. Tutto fa male. Ha cosí paura, non ricorda di averne mai avuta tanta. Si rotola per terra, cercando di rialzarsi, ma qualcosa dentro di lui lo blocca. Non è convinto. Si trascina ancora.

Solo allora lo sente.

La mano tocca un oggetto. È freddo. Le sue dita lo stringono. È tipo un tubo, non saprebbe dire, ma è pesante. Forse è di uno dei tizi, forse è quello con cui lo hanno colpito alle gambe. Forse gli è caduto.

(È importante?)

Qualcosa nella testa gli grida «alzati!» Luca non sa se vuole. Alzati, perdio. La sente distintamente, la voce: *alzati*.

Luca si alza col tubo in mano. Becca subito un ceffone in faccia, ma stavolta riesce a restare in piedi. Vede arrivare il secondo. Non lo vede, in realtà. Non saprebbe dire come, ma lo *sente*. Luca mette il ferro tra sé e la traiettoria del pugno in arrivo, tenendolo con due mani.

Il tipo grida. Si rompe la mano contro il ferro, probabilmente. Luca alza il tubo e lo colpisce in faccia, di lato, sulla parete del cranio. Piú forte che può. Il tizio cade e non si muove piú.

Quello sopra Emma si gira, ha i pantaloni abbassati.

– Che cazzo succede?

Emma non urla piú da un po'.

Luca si avvicina correndo e prende il tizio in pieno sterno con un calcio. Il tizio rotola e fa mezzo giro.

– Aaah, bastardo!

Luca calcia ancora e ancora, anche sulla testa. Lo vede sanguinare dalle orecchie. Alla fine si ricorda del tubo. Blocca la testa del tizio fra le sue caviglie, è in piedi sopra di lui.

– No, aspetta! Scusascusascusa! – implora il tipo sotto i piedi di Luca.

Ma lui non lo sente, percepisce solo il freddo del metallo tra le mani. Mette il tubo in verticale e lo appoggia all'occhio del tizio, proprio sull'orbita.

– Sta' fermo! – gli urla Luca. – Sta' fermo o ti uccido!
– Va bene! Scusa! Scusa!! – urla il tizio. – Non volevamo fare niente, te lo giuro! La ragazza non ha niente!
Luca pensa se adesso mi sposto lui può saltarmi addosso di nuovo. Io non sono bravo in queste cose, si dice. Passano circa tre secondi.
Guarda Emma lí per terra, i capelli sparpagliati sul viso, il terrore nei suoi occhi. Pensa che quella sera, al binario, si sarebbero baciati per la prima volta.
Sente le mani stringersi sul tubo.

Poi tira un bel respiro.

Francesco
(Un ombrello grande a sufficienza)

La mattina si alzava alle cinque e quaranta.

Si buttava sotto la doccia, addentava un plum-cake, si vestiva e andava a tirare su la saracinesca per metà, mentre riceveva la merce dai fornitori.

Alle sei e trenta il bar apriva.

I primi a entrare erano quelli che smontavano dal turno di notte, poi iniziavano ad arrivare i pendolari, seguiti dagli studenti, infine tutti gli altri. Francesco, per tutti Checco anche se non gli piaceva, si faceva dare una mano dalla cugina Guenda solo in certi periodi dell'anno, quando partivano i corsi all'università, oppure al rientro dalle vacanze, ma per la maggior parte del tempo era da solo. Glielo aveva insegnato sua zia Perla, che del bar si era occupata per quasi tutta la vita, fino a che gli anni e la schiena non l'avevano costretta a desistere. Al tempo era appena uscito dall'istituto di agraria, con due anni di ritardo e in mano un pezzo di carta che non gli suggeriva un bel niente sull'immediato futuro.

– Mandamelo al bar, che almeno ogni tanto mi siedo, – aveva detto la zia a sua madre.

E la madre lo aveva guardato in quel modo che lui conosceva tanto bene, era l'espressione che lo aveva accompagnato mentre arrancava a scuola, in panchina nella squadra di calcio, all'esame per la patente ripetuto quattro volte: «Non ce la farà mai».

Ed era vero, Francesco ce la faceva solo se spinto o trainato, un peso che si accollava il parente di turno o qualche amico benevolo. Non era stupido né pigro, ma lo affliggeva una timidezza cronica e paralizzante che, spesso, era in grado di togliergli ogni lucidità. Andava in confusione, lo assaliva il panico, non riusciva a mettere le parole nell'ordine giusto e le conseguenze erano sempre le stesse.

La zia, a differenza di sua madre, non lo considerava un caso disperato, era certa che indirizzato nel modo giusto avrebbe combinato qualcosa di buono. Perciò se l'era portato nel bar e l'aveva comandato a bacchetta, perché per Francesco il problema era sempre decidere, non ubbidire. E lui aveva iniziato a mandare a memoria i gesti, le sequenze, le preparazioni. La routine gli piaceva, lo rassicurava, non importava quante persone ci fossero al di là del banco, nel suo rettangolo di movimento si sentiva protetto e padrone del proprio destino. Al sicuro. La zia aveva cominciato a venire sempre meno, a volte la sostituiva la figlia, che però del bar non ne voleva sapere, perché lei aveva studiato economia, mica scienza del cappuccino.

E cosí, quando Francesco compí ventisei anni, il bar diventò il suo territorio esclusivo. Si alzava tutte le mattine alla stessa ora, apriva alla stessa ora, si faceva sostituire solo se necessario, e alla sera chiudeva alle diciannove in punto. Ogni giorno uguale al precedente.

A parte il martedí.

Il martedí si svegliava con mezz'ora di anticipo, si sbarbava meticolosamente, tagliava bene le unghie, accendeva il ferro, dava una passata al colletto della camicia, e tirava su la saracinesca anche dieci minuti prima. Era il suo segreto, la sua personale rincorsa per affrontare ciò che sarebbe avvenuto, anche se non si sarebbe manifestato prima delle tredici.

Tra le tredici e le tredici e dieci, per la precisione, arrivava lui.

Era bello, alto quasi quanto Francesco, d'un biondo che confinava col bianco, gli occhi a mandorla – uno con la palpebra piú chiusa, come un pugile dopo un incontro – e la barba sempre di qualche giorno. Aveva un grosso neo all'angolo della bocca che sembrava capitato lí per caso, invece era la firma su un quadro perfetto, e su quel neo Francesco aveva fatto tanti sogni. Non aveva mai bagaglio, portava con sé soltanto un libro, sempre diverso ogni settimana. Si avvicinava al banco e diceva: «Un latte macchiato», poi accennava un sorriso.

Il latte macchiato veniva universalmente considerato una bevanda da vecchi, o da fighette, nessuno dei ragazzotti universitari lo avrebbe ordinato mai. Non davanti a testimoni.

Lui invece sí.

Doveva avere all'incirca trent'anni, una sicurezza tale da scandire bene le parole «latte» e «macchiato» senza una sbavatura, senza nemmeno guardarsi intorno. Non come me, pensava Francesco. Lo serviva in silenzio, paralizzato dall'imbarazzo, solo dopo settimane di autoconvincimento era riuscito a spiccicare una sola, inutile parola.

– Zucchero? – aveva chiesto.

Ben sapendo che, l'altro, lo zucchero non lo metteva mai, e che il cucchiaino lungo gli serviva solo per mescolare bene il latte e il caffè.

– No, grazie, – e gli aveva sorriso.

Sua cugina Guenda, l'unica volta che si era trovata al bar durante la consumazione dello sconosciuto, si era accorta del mutismo di Francesco, il viso piú bianco del solito che faceva risaltare i suoi capelli rosso fuoco, e gli occhi a palla, strabuzzati, quelli di un bambino sull'ottovolante. Era una tipa sveglia e aveva capito subito.

– E facci due parole, no? Una battuta sul tempo, sugli scioperi, sui libri che porta con sé, argomenti per attaccare bottone ce ne sono un'infinità.

Ma Francesco scuoteva forte la testa, non era davvero possibile, era un'impresa oltre le sue forze. Già i suoi pochi approcci con i ragazzi erano stati disastrosi, figurarsi con uno cosí. Guenda si era intenerita ed era venuta un paio di mattinate in piú per sorvegliare il biondo.

– Si ferma al binario 2, prende il regionale delle tredici e cinquantotto, resta tantissimo ad aspettare sulla panchina, legge, raramente telefona.

Francesco aveva immagazzinato le informazioni e una volta, spintonato fuori dal bar dalla cugina, era salito fino in cima alle scale per spiarlo. In effetti il biondo sedeva sulla panchina e leggeva, l'aria di chi è in pace col mondo. E quando il treno arrivava, lui saliva e ciao. Non tornava mai prima della chiusura del bar, Francesco lo aveva aspettato sempre, una sera aveva trovato mille scuse per attardarsi fino alle diciannove e trenta, ma del biondo nessuna traccia.

– Cosa andrà a fare, poi, solo un giorno della settimana, dalle due a chi lo sa? – insisteva la cugina.

A Francesco non importava, per lui quei cinque minuti che l'uomo biondo trascorreva nel suo bar, ogni martedí, erano il momento migliore della settimana. Non intendeva chiedere di piú.

Quel giorno non avrebbe fatto eccezione.

Era un martedí uguale agli altri, prima erano arrivati quelli che smontavano, quindi i pendolari, gli studenti e infine i viaggiatori occasionali, quelli che vedevi passare una volta e basta. Francesco teneva d'occhio l'orologio, era una buona giornata, eccezion fatta per il forte vento e per un tizio benvestito che aveva lasciato lí la tazzina del caffè mezza bevuta e gli aveva buttato i soldi sul piattino come fosse stato imbrogliato.

L'una si avvicinava, il bancone era pulito, Francesco era andato in bagno e si era sistemato bene i capelli. Aveva pensato di dare al biondo il resto con monete nuove, quaranta centesimi scintillanti che si era messo da parte. Forse lui li avrebbe notati e avrebbe fatto una battuta, o semplicemente sorriso. Era cosí bello, quando sorrideva.

L'una arrivò. Poi l'una e cinque. Poi l'una e dieci. Francesco iniziava a stare sulle spine. Un ragazzino con una cartellina da disegno si sedette al bancone e gli chiese una birra, lui rimase a baloccarsi un attimo con l'ipotesi di chiedergli un documento, alla fine pensò che, pazienza, mica erano problemi suoi. Mentre spinava la birra, il biondo entrò. Sembrava avere piú fretta del solito.

– Un latte macchiato, per piacere.

Francesco si girò veloce, per fare in fretta non centrò subito il bicchiere e un paio di gocce colarono oltre il bordo. Prese la spugnetta, le asciugò, poi pensò che non era igienico, posò il bicchiere, ne prese un altro, lo riempí e mentre versava il caffè sentí alle sue spalle la voce del ragazzino con la birra che diceva: – L'ho letto. Cioè, me l'hanno fatto leggere a scuola.

E subito dopo la voce del biondo che rispondeva: – Io lo inizio oggi. Merita?

– Ah, mica lo so.

Risero e Francesco si sentí trafitto dalla gelosia per la spigliatezza con cui il ragazzino aveva parlato al biondo, però anche acceso dalla speranza di riconoscere, pure lui, la copertina del libro di cui stavano parlando. Ma il libro era messo per storto, non si riusciva a leggere il titolo. Posò il bicchiere col latte, il biondo lo prese e lo bevve d'un fiato.

– Grazie, – disse.

Fece per uscire e a Francesco non sembrò vero, aveva l'occasione di richiamarlo, di dirgli: «Scusi, si è scordato di pagare!» Invece accanto al bicchiere c'erano un euro e sessanta contati. Niente resto, niente monetine scintillanti, il biondo si allontanava senza che lui fosse riuscito a salutarlo, né all'entrata e né all'uscita. Posò il bicchiere nell'acquaio, non osava metterlo da parte, temeva che qualcuno si sarebbe accorto del suo rituale. Di lui che passava il dito sul bordo, nel punto in cui il biondo aveva poggiato le labbra, e poi se lo portava alla bocca.

Entrò una coppia che iniziò quasi subito a litigare, prima ordinò lei, poi ordinò lui, non si sapeva chi avrebbe pagato, e mentre li serviva arrivò un cliente gridando: – Una sambuca!

Aveva un viso cosí disperato, e una banconota da cinque euro stretta nel pugno, che Francesco, nel servirlo, si sentí quasi in colpa. Il bar cominciò a riempirsi, e lui doveva spingere lontano il pensiero dell'uomo biondo: ormai avrebbe dovuto attendere il martedí seguente per provare a parlarci. All'annuncio del treno delle tredici e quarantadue ci fu come sempre un po' di viavai, la coppia litigava, il ragazzino aveva lasciato mezza birra, una signora castana dall'aria spaesata si sedette e chiese una tazza di tè. Gliela stava portando al tavolo quando sentí bussare alla vetrina.

Si voltò e vide lui.

Per l'emozione fece cadere la tazza, rischiando di bagnare la signora, e mentre si chinava a raccogliere i cocci, aiutato da un cliente con un berretto giallo, alzò di nuovo gli occhi e vide la coppia litigiosa raggiungere l'uomo biondo e sparire verso i binari.

– Stia attento, che ha un pezzo anche lí, vicino al piede, – gli disse l'uomo col berretto giallo. Francesco lo raccolse, il viso color porpora, poi guardò verso il bancone.

– Ma non hanno pagato!

– Sí, hanno lasciato i soldi, – confermò l'uomo, ed era vero, sul piattino c'era una banconota da cinque.

– E il resto? – chiese smarrito.

– Mancia, – gli sorrise l'uomo dal berretto giallo, posando sul bancone i cocci che aveva raccolto.

Francesco preparò un secondo tè per la signora e poi pulí per terra con gli occhi che gli bruciavano per l'umiliazione. Aveva fatto la figura dell'imbecille, nemmeno una tazza di tè in mano sapeva tenere, chissà le risate che si erano fatti l'uomo biondo e i suoi amici. Fu tentato di chiamare Guenda chiedendole di sostituirlo, poi arrivò un tizio bello in carne a domandargli di preparare due panini, seguendo l'offerta «Inventa tu il tuo sandwich» ideata da sua cugina per attirare piú gente in pausa pranzo. Proprio oggi che aveva terminato i pomodorini secchi e le uova! Alla fine non la chiamò, fece i sandwich e serví infiniti altri caffè, cappuccini, cioccolate calde e anche due bicchieri di latte macchiato, rigorosamente ordinati da donne.

Alle sette abbassò la saracinesca. Si sentiva addosso una sconfitta che nemmeno sua madre avrebbe potuto misurare. Fuori faceva freddo e ricominciava a piovere, ma il freddo che sentiva dentro lo spaventava di piú.

– Ehi!

Una voce alla sua sinistra. Dalla discesa pedonale vide arrivare una sagoma, e poteva essere stanco finché voleva, ma l'avrebbe riconosciuta tra mille. Ecco perché non lo vedeva mai tornare, perché sbucava direttamente all'esterno!

– Ciao –. L'uomo biondo gli si fece incontro con una piccola corsa. – Volevo scusarmi per stamattina.

Francesco non riusciva a spiccicare parola.

– Non volevo spaventarti, è che mi ero dato appuntamento con quella coppia di miei amici ma non ci eravamo capiti e prima io ero al bar e loro al binario, poi viceversa, e insomma avevo paura che il treno arrivasse e ho bussato di corsa al vetro per farmi vedere.

Francesco pensò a quanto sarebbe stato astuto da parte sua far finta di non ricordare l'incidente, mostrarsi superiore, invece sbrodolò fuori un inutile: – Fa niente, – di cui si vergognò.

Era lí, paralizzato, incapace di mettere insieme piú di due parole proprio quando la vita gli porgeva su un piatto d'argento un'occasione che non si sarebbe ripetuta. L'altro avrebbe dovuto dire qualcosa tipo «Bella lí, ciao», invece se ne uscí con uno stupefacente: – Ascolta, vorrei ripagarti almeno la tazza.

Francesco si sentí colmare di tanta e tale ammirazione che riuscí a dire, con una veemenza insolita: – Ma non se ne parla proprio. Cioè, se io sono nevrastenico non è colpa tua.

L'uomo biondo rise.

– Se sei nevrastenico allora dovresti venire con me –. Poi, forse temendo di essere male interpretato, aggiunse: – Intendo dire, con i miei amici vado a fare delle riunioni proprio per abbassare i livelli di ansia, di rabbia, quelle cose lí. Hai mai provato?

Francesco scosse la testa, trasognato.

– Aiuta, sai? Può sembrare una cosa un po'… new age, mi rendo conto. Però, se sei tanto nervoso…

– Okay, – rispose Francesco, non sapendo che altro dire.

L'uomo biondo allungò la mano verso di lui.

– Io comunque sono Riccardo, – disse.

– Io sono Francesco, – e gli porse timido la sua mano gelata.

Ripensò per un attimo alla tazza rotta, ai cocci per terra, a come tutto si stesse rimettendo insieme in un modo che mai avrebbe sperato.

– Stai andando via anche tu?

La domanda lo colse del tutto di sorpresa.

– Io, ah, sí. Ho la Panda nel parcheggio, in fondo, – disse Francesco e indicò fuori, lontano, verso il buio.

– Senti, visto che piove, lo vuoi un passaggio fin là? – disse Riccardo, agitando un piccolo ombrello pieghevole.

Francesco pensò che, dopo una giornata di lavoro, di sicuro puzzava di chiuso, di sudore, di caffè e di panini. Poi pensò che non era il caso. Infine pensò che lui lo avrebbe sentito tremare. Che se ne sarebbe accorto.

– Sí, – disse sorprendendo anche sé stesso.

Riccardo lo prese per il braccio, senza dire niente, lo tirò appena verso di sé.

– Scusa, ma l'ombrello è quel che è.

Per fortuna, pensò Francesco, ma non lo disse a voce alta.

Uscirono insieme nella pioggia, la sera del 23 di novembre, stretti sotto un ombrello piccolo, ma grande a sufficienza.

Ines
(In questa macchina c'è un odore buonissimo)

Ines scese dal treno per ultima.

Le gambe che le pesavano tanto, neanche fossero di cemento. Si era augurata di non vederla mai piú, quella stazione, che un giorno sarebbe arrivata una telefonata a liberarla, a dirle che non le sarebbe toccato affrontare piú nulla. Ma quando aveva ricevuto la telefonata non c'era stata nessuna liberazione, anzi. Fece le scale con calma, seguendo una coppia di ragazzi che non sembrava aver voglia di andarsene alla svelta. Non appena vide l'ultimo gradino si sentí morire dentro.

– Se lo scendo è fatta.

Non era pronta, aveva bisogno di altro tempo. Posò il piede a terra e svoltò subito a destra, infilandosi nel primo negozio disponibile. Un trionfo di gadget e inutilità, ma sarebbe andato bene comunque, era un dispensatore di ossigeno. Iniziò a girare tra gli scaffali, con aria distratta, cercando di riportare lí la testa quando se ne andava altrove. C'erano due clienti oltre a lei, uno al bancone e uno in giro, vedeva spuntare il suo berretto giallo sopra le scaffalature come la pinna di uno squalo. Tentò di concentrarsi sugli oggetti che aveva di fronte, tutti colorati, carini, superflui, eppure a loro modo seducenti. Non ricordava di aver mai posseduto qualcosa di inutile, accattivante e colorato, finché aveva vissuto lí. Solo l'essenziale, solo il rigore.

All'epoca in cui era salita sul primo treno per andarsene, immaginava la sua futura vita piena di allegria, di scelte che avrebbero portato gli esiti sperati, di fuochi d'artificio. Invece, quella cupezza che le era stata instillata per anni aveva resistito nelle sue giornate come una pianta infestante, e si era riflettuta nell'arredamento della casa, nei suoi abiti sobri e funzionali, nel suo rifiuto categorico di truccarsi e di andare dal parrucchiere. Aveva costruito piccoli nidi di gioia in terreni inesplorati, i piaceri del palato, lo sport, l'accudimento di un animale domestico, ma uno solo, perché la casa doveva essere pulita e in ordine, era piú forte di lei. Era anche stata felice, per un po'. Poi erano arrivate le prime telefonate e tutto era tornato indietro. Ines aveva tenuto duro, non le avrebbero strappato la vita conquistata con tanta fatica, ma il passato era una nube tossica che avvelenava ogni cosa. Si era immersa nel lavoro finché aveva potuto, poi ne aveva parlato con un'amica e infine con uno psicologo.

– Deve rendersi conto che nessuno può obbligarla a fare nulla, – le aveva detto. – Lei si è già occupata di tutto ciò che è concreto, ora pensi finalmente a sé stessa.

Ma Ines non ce l'aveva fatta, e quando era arrivata l'ultima telefonata aveva preparato la valigia con la morte nel cuore e si era avviata alla stazione.

Ed eccola qui, adesso, a guardare diffusori di essenze a forma di ippopotamo e rana.

«Se ce ne fosse uno piú semplice potrei prenderlo. In fondo non c'è nulla di male nel profumo», pensò. Ricordava l'odore di ammoniaca nell'aria, mescolato a quello di polvere e malattia. Si voltò a cercare con gli occhi la commessa.

– Scusi, ha solo questi esposti? – chiese.

– Sí, – rispose quella dal bancone.

Dunque non le sarebbe stato risparmiato nemmeno l'odore. Si trascinò ancora un po' in giro e quando vide il cliente andar via con il suo pacchettino seppe che era giunto il momento. Non avrebbe potuto rinviare in eterno. Uscí lenta e si diresse verso il parcheggio dei taxi. Non ce n'era nemmeno uno e si fermò ad aspettare. Fissò le pietre del pavimento attraverso le lenti appannate degli occhiali e desiderò con tutta sé stessa di non essere lí.

Il taxi arrivò dopo dieci minuti.

– Dove andiamo? – le chiese l'autista mentre lei saliva.

Ines gli allungò il bigliettino che si era preparata in tasca, non voleva nemmeno nominarlo, quel posto. Lui lesse e assunse un'espressione grave. Mise in moto e partí. C'era un buon profumo, in quell'auto, un profumo fresco, gentile. Le fece venire voglia di piangere, ma non avrebbe pianto, l'aveva giurato a sé stessa. Il viaggio fu breve, una manciata di minuti, aveva sperato nel traffico, nei lavori in corso, in un tornado, qualunque cosa potesse regalarle ancora un po' di tempo.

– Dieci euro e settanta. Facciamo dieci, – disse l'autista.

Era un bell'uomo di mezz'età, con una faccia aperta, il naso importante e i capelli biondi che sembravano radi fili di paglia. Gli porse una banconota da venti.

– Le lascio il resto se mi vende il profumo.

– Il che?

– Il profumo, in questa macchina c'è un odore buonissimo.

L'uomo scoppiò a ridere e sganciò dallo specchietto retrovisore un deodorante a forma di fiore.

– Pensi che c'è chi non lo sopporta e mi chiede di abbassare i finestrini –. Glielo passò con il resto di dieci euro.

– Omaggio della ditta, – aggiunse.

Ines gli sorrise, infilò il fiore nella tasca del giubbino e uscí dall'auto. La struttura era come se la ricordava: bellissima vista da fuori, cupa una volta dentro. Salí i tre gradini fino al portico e fu intercettata da un infermiere.

– Ines Astori, – disse.

Lui le fece strada. Odore di minestrone e disinfettante nei corridoi comuni, la luce dei neon a rendere l'atmosfera gialla e opprimente.

Lo avevano messo nell'ultima stanza, dietro a un paravento.

– La lascio sola col papà, – le fece l'infermiere con tono premuroso.

«Sola con papà», alle sue orecchie, suonava quasi una minaccia. Ma di suo padre restava poco, un fagotto composto in un lettino, le bende che gli fasciavano la testa per tenere chiusa la bocca senza denti. Non lo avrebbe riconosciuto, se non avesse saputo che era lui. Del resto avrebbe soltanto contraccambiato il favore, lui non la riconosceva da anni. Questo le aveva consentito di smettere di andare a trovarlo una volta al mese, sobbarcandosi il viaggio e lo stress di una notte in albergo. Dimenticarla era stato l'unico vero regalo che le avesse fatto in tutta la vita. Lo psicologo aveva insistito molto: suo padre la picchiava? La molestava? Abusava di lei in qualche modo? Le aveva imposto di sostituire la madre dopo la sua morte? Ines aveva sempre risposto di no, ed era la verità. Suo padre non aveva mai alzato le mani o gli occhi su di lei in tutti gli anni che avevano dovuto passare insieme, loro due e basta. Non le aveva mai dato nulla di sbagliato. Semplicemente, non le aveva mai dato nulla e basta. Il loro era un rapporto nato per sottrazione. Gesti, parole, affetto. Suo padre era capace solo di togliere. Da piccola gli chiedeva qualcosa, di tanto in tanto, e la risposta era sempre: «no», cosí alla fine aveva smesso di chiedere. Lui aveva cucinato per entrambi anche quando lei aveva imparato a farlo da sé ed era l'unico atto di accudimento, oltre ad accompagnarla in auto a scuola. Per il resto si limitava a non concederle nulla, se non il rigore assoluto della loro casa. Se non pacchi di vuoto. Quando lei gli aveva detto che se ne sarebbe andata in un'altra città, per studiare e lavorare, aveva risposto con una parola: «Ingrata», aveva detto.

Ines ce l'aveva fatta da sola, aveva da parte un libretto postale con i soldi ereditati dai nonni e se l'era fatto bastare. Chiamava tutte le settimane, telefonate che duravano al massimo cinque minuti. Lui non commentava mai i voti degli esami, i primi lavori, le minuscole soddisfazioni che lei si guadagnava con le unghie e con i denti. Non le chiedeva mai di tornare a casa. Poi c'era stato l'ictus, il ricovero, il rientro precipitoso, il mese trascorso in ospedale e la nuova vita che aveva cominciato a vacillare senza preavviso. Ma lui si era ripreso, pareva, e quando era tornato a casa, con un'infermiera ad accudirlo, lei era partita di nuovo.

Poi avevano cominciato a chiamarla.

«Tuo padre esce di casa senza pantaloni».

«Tuo padre si è perso nel parco».

«Tuo padre si affaccia di notte per urlare alla gente».

E quindi era tornata, toccava a lei, non c'erano altri parenti in vita.

Il lavoro le consentiva di pagargli la retta in quella struttura. Si era rifiutata di dichiararlo incapace di intendere e di volere, anche se di fatto era cosí. Aveva lasciato il suo conto aperto, non aveva voluto nessuna delega. Per qualche tempo l'aveva riconosciuta ancora, quando andava a trovarlo, poi piú niente. Aveva atteso a lungo una chiamata che le dicesse che era finita, che era libera, che la sua vita finalmente apparteneva solo a lei. Ma, quando era successo, non era andata come si aspettava.

«Deve venire, deve firmare tutto».

Ve lo regalo!, avrebbe voluto rispondere. Lui, la casa, il conto in banca, vi regalo tutto, però non costringetemi a venirlo a vedere.

Invece aveva preso il treno e adesso era lí, con quel mucchio di carne fredda che un tempo era stato suo padre, e che ora non era piú niente.

Sapeva cosa avrebbe significato quel momento, cosa avrebbe rappresentato per lei. Se solo avesse provato rabbia o rancore o dolore o rimpianto o trionfo, se solo avesse provato qualcosa, una cosa qualsiasi. Ma non provava nulla, proprio come lui.

Infilò la mano nella tasca, prese il fiore profumato, se lo mise sotto il naso e inspirò a fondo.

Milo e Nadia
(A cosa servono le storie?)

La scrittura mi ha cambiato la vita.

Ho sempre saputo che l'avrebbe fatto.

Ecco perché non posso oppormi al richiamo di una libreria. Nemmeno se è la piccola libreria di una stazione, neanche se mancano sedici minuti alla partenza del treno. Milo lo sa, per questo è andato a prendere due panini per il viaggio. È il suo modo per dirmi vai tranquilla, per rispettare il mio rituale. Lo fa anche per accertarsi che i panini siano fatti come dice lui, con la giusta alternanza di consistenze e sapori. Quando ha letto «Inventa tu il tuo sandwich», sulla vetrina del bar, non ha potuto resistere alla tentazione. Alla fine questo non è cambiato: lui si occupa di un tipo di nutrimento, io di un altro. Lui mi fa assaggiare cibo, io gli faccio assaggiare storie. Non solo le storie che scrivo, ma pure quelle che scopro sbirciando tra gli scaffali, nei posti piú impensati. Attratta da un incipit, innamorata di una copertina, folgorata da un dialogo che poi condividerò con lui. È la nostra maniera per contaminarci, per essere ogni giorno un po' diversi, per alimentare il nostro diritto alla scoperta. L'indicibile, il mistero non dovranno piú scomparire dalle nostre vite.

Non avrei mai scommesso su ciò che abbiamo oggi.

Dopo che la nostra relazione era naufragata, in maniera apparentemente irrimediabile, dopo un anno di messaggi incendiari, di inganni sottili, di giochi di seduzione, di maschere e specchi, dopo una dolorosa separazione che sembrava senza ritorno, siamo ancora qui. Siamo di nuovo noi.

Non ci avrei mai creduto. Non tanto perché io manchi di immaginazione – ho, semmai, il problema contrario: chiudo troppo spesso i miei occhi per lasciarmi trasportare in un mondo di eterne possibilità –, ma perché so che gli esseri umani sono bravissimi a promettere, molto meno a mantenere. Quante seconde occasioni, dopo il fuoco iniziale, restituiscono in fretta il gusto sbiadito della minestra riscaldata. Milo non sarebbe d'accordo sul parallelismo: sostiene che la minestra, il giorno dopo, sia sempre piú buona.

Devo ammettere che la nostra lo è.

Ma anche se probabilmente lo negherebbe, pure lui è incredulo. La paura di perderci di nuovo, in certi momenti, indurisce ancora i suoi tratti. Propone allora di cenare sul letto, poi mi chiede di tenerlo stretto e di accarezzargli la testa, di dargli piccoli baci sulle tempie, i piatti vuoti che tintinnano fra le lenzuola. Dopo, lui fa lo stesso con me, indugia sui miei capelli, se li passa fra le dita, come un liutaio che lucida le corde di un vecchio strumento, salvato dall'usura degli anni.

Su tutto, non avrei mai creduto alla cosa del libro.

Aspettavo da una vita la mia occasione, l'opportunità di scrivere pagine che lasciassero un segno. Non m'illudo che sarà profondo: a pochissime scrittrici è dato il destino di restare. Ma Milo e io siamo in viaggio da quasi sei mesi per promuovere il mio romanzo, parlarne alle persone, rispondere alle domande dei lettori, ed è piú di quanto avrei mai osato sperare. Abbiamo dovuto forzare la nostra indole introversa, soprattutto all'inizio, per far fronte ai numerosi inviti: festival letterari, circoli di lettura, librerie che mi contattano per le presentazioni.

Lui viene spesso con me perché il romanzo parla proprio di noi due, della nostra deriva sentimentale, del nostro essere sopravvissuti. Scriverne è stato il mio modo per tracciare una mappa dei nostri errori. Ora sappiamo da quali gorghi tenerci distanti, quali acque nascondono scogli appuntiti, come superare i periodi di bonaccia. Al termine della stesura, abbiamo discusso a lungo di una possibile pubblicazione. Ho pensato che la mia testimonianza potesse essere utile a qualcuno. Ma sono stata parecchio incerta, anche dopo l'arrivo delle prime proposte da parte degli editori. Esporre la nostra intimità, esibire la nostra salvezza, ci sono stati momenti in cui mi è sembrato un gioco sleale e pericoloso, che forse ci avrebbe compromessi per sempre. È stato Milo a porre fine al mio tormento.

– Scusa, non mi ripeti di continuo che la scrittura deve dire la verità?

– Sí.

– E allora qual è il problema?

– Non lo so. È che in questa storia non c'è alcun filtro, nessuna distanza, è come esporre una ferita.

– Be', forse è proprio quello che ti serve, non ci hai pensato?

– Che vuoi dire?

– Che c'è una sola maniera per far cicatrizzare bene una ferita, passata la fase di primo soccorso. Per fare in modo che i tessuti si rigenerino.

– Cioè?

– Esporla all'aria aperta.

Milo è cosí, è un uomo lineare e concreto. Ho bisogno di un amore come il suo, che tenga l'altro capo del filo, che sappia riportarmi a terra quando il vento delle mie paranoie mi trascina troppo in alto.

Ecco perché, dopo l'uscita del libro, abbiamo deciso di condividere tutto quello che sarebbe venuto.

Ci stiamo abituando a questa vita quasi in vacanza. Un giorno a Palermo, il giorno dopo a Catanzaro, poi su verso Bologna facendo prima tappa a Bari e Ancona, in tour come rockstar. Solo che invece di cantare davanti a folle oceaniche, portiamo in giro una storia. Adoriamo saltare da un treno all'altro, vedere posti diversi in tempi molto ristretti. Rende l'esperienza del viaggio piú intensa: un continuo e mutevole racconto, che evidenzia le similitudini ed esaspera i contrasti. Milo, in linea con la sua anima da cuoco, si lascia trasportare da profumi e sapori sempre nuovi. Io, da narratrice, mi nutro di spunti, scorci, suggestioni inedite.

La libreria della stazione ha due copie del mio romanzo in vetrina.

Immagino sia per il festival di ieri sera, la presentazione è stata molto bella e partecipata. Non mi ci abituerò mai.

Quando entro, il libraio mi squadra rapido.

– Buongiorno, – dice, poi ritorna a consultare il suo computer.

Poco piú in là, un uomo sulla cinquantina è immerso nella lettura di un volume. Ha in testa un berretto di lana gialla e, infilato su una spalla sola come fanno gli studenti, uno zaino che pare troppo pesante da portare se si legge in piedi. Non capisco perché, ma dal profilo ho l'impressione di conoscerlo. Chiude il libro, osserva la quarta, poi lo rigira. Solo allora riesco a scorgerne la copertina.

Si tratta del mio romanzo.

È accaduto centinaia di volte durante gli incontri con i lettori, un paio di volte sui treni, ma non mi è mai successo in maniera cosí imprevista e casuale. Un estraneo ha in mano un libro che contiene la storia della mia vita. Gli piacerà? Lo acquisterà? Indago la sua espressione alla ricerca di un indizio. Apre il libro all'incirca a metà, legge per poco piú di un minuto. Ritorna sulla quarta di copertina. A un certo punto alza la testa e si accorge di me. Mi guarda. Lo guardo. Mi riguarda.

– Ah, ma allora è lei? – dice.

– Non saprei, – dico.

– No, è che ieri ero ospite al festival anch'io, e l'ho vista mentre lo presentava –. Alza il romanzo e lo agita appena.

– Ospite?

– Già.

Mi fissa in attesa di una reazione.

– Ma certo, adesso mi ricordo del suo libro, è uno scrittore anche lei, – mento cercando di celare l'imbarazzo, perché non riesco a collocare di preciso lui, né a rammentare il suo nome.

– Ah, diciamo di sí. Anche se, le confesso, sentirmi chiamare scrittore continua a suonarmi un po' strano. Pure dopo tutti questi anni. Mi sembra sempre, non so, che parlino di qualcun altro.

– Guardi, non lo dica a me.

– Comunque la quarta di copertina del suo romanzo è davvero invitante.

– Grazie. Ma per quella il merito è tutto della mia editor.

– Alle editor dobbiamo molto piú di quanto i lettori potrebbero sospettare, eh?

– È proprio cosí.

Continuo a sforzarmi di ricordare un particolare, qualsiasi cosa relativa a ieri sera. In effetti, ora sono sicura di avere già visto l'uomo da qualche parte. Ha un viso stranamente familiare.

– Senta, – se ne esce all'improvviso. – Posso farle una domanda?

– Uh. Certo.
– È una domanda piuttosto personale.
– Sono le mie preferite.
L'uomo sorride, poi mi guarda serio.
– Lei perché scrive?
– Mi scusi?
– Mi scusi lei se sono inopportuno. È che è un periodo di... confusione creativa, diciamo. E conoscere le motivazioni di chi conduce una vita professionale simile alla mia, ecco, mi è di ispirazione.
– Non è inopportuno, è solo che è una domanda che non mi facevo da molti anni. Credo potrei darle tante risposte differenti, ma alla fine solo una sarebbe vera.
– E cioè?
– Scrivo perché non so fare nient'altro.
Il viso dell'uomo si distende.
– È una bella risposta. Sa che anche Camilleri la pensava cosí?
– Davvero? Non lo sapevo. Confesso di frequentare altri autori.
– Sí. Lui però aggiungeva che scrivere è sempre meglio che scaricare le casse al mercato.
Mi tornano in mente tutti i lavori piú o meno provvisori da cui mi sono licenziata negli anni. La fatica estenuante dell'impiego saltuario, alimentare, senza prospettive.
– Ah, guardi, su questo non sa quanto sono d'accordo.
– Poi diceva un'altra cosa, che ho sempre ritenuto molto azzeccata. Diceva: scrivo perché mi permette di ricordarmi di tutte le persone che ho amato.
Mi pietrifico. È come se qualcuno mi avesse appena fatto una radiografia.
– Mi sa che scelgo questa.
– Quale?
– Quella sul ricordarsi le persone amate.

Sorride di nuovo. Quando lo fa, mi accorgo che i suoi occhi, compressi dalle pieghe degli zigomi, somigliano a quelli di Milo.

– E lei, invece? – dico.

– Ah, io scrivo per capire meglio le cose. Credo. Non è un granché, lo so.

– Insomma scrive per avere delle risposte?

– Le risposte è raro che arrivino, direi piú per trovare le domande. Anche se ogni tanto, come in questo periodo, non riesco nemmeno a trovare quella giusta con cui partire.

– Mh. Nuovo libro?

– Ci stiamo annusando, sí. È che mi sembra di girare a vuoto. Sa quei periodi in cui tutto ciò che scrivi ti sembra banale, evitabile, privo di senso?

– Ho passato piú o meno cosí gli ultimi tredici anni della mia vita, – rivelo. – Poi ho capito una cosa.

– Mi dica, m'interessa.

– Che non ha senso accanirsi se non gira. Forzare l'immaginazione è inutile. Conviene fermarsi e aspettare. Tanto la verità resta sempre la stessa.

– Quale verità?

– Che non siamo noi a trovare le storie. Sono le storie a trovare noi. È che a volte faticano a farsi largo tra l'affollamento dei nostri pensieri superflui, perfino se si tratta di storie che ci riguardano da molto vicino. Bisogna saper attendere il tempo che serve, come quando si aspetta un amico in ritardo per un appuntamento. Poi magari non si presenta l'amico ma un perfetto estraneo, e questo può rivelarsi ancora piú interessante. Non pensa?

– Concordo al punto che le dirò di piú. Io sono arrivato addirittura a chiedermi se siano gli scrittori a inventare e scegliere i loro personaggi, oppure i personaggi a inventare e scegliere noi.

Lo fisso. Mi sento talmente solidale con lui, con la sua visione.

– Lei non mi crederà, ma ho tenuto presente questa domanda per tutta la stesura del mio romanzo.

– Ed è arrivata a una risposta?

– Per scoprirlo, le toccherà leggerlo.

Sorridiamo.

– Nadia! Guarda che mancano sette minuti, il treno è alle quattordici e diciannove! – Milo irrompe nella libreria con in mano due sacchetti bianchi. Si avvicina, mi bacia sulla guancia. – Tacchino affumicato, wasabi e germogli croccanti? Oppure il sempiterno crudo e mozzarella, però con aggiunta di peperoni grigliati?

– Tanto lo so che li hai fatti tagliare a metà per assaggiarli entrambi, – dico.

– Ah ah, beccato!

– Lei dev'essere Milo, – dice l'uomo.

Milo e io ci scambiamo una rapida occhiata.

– Scusi, lei come fa a conoscere il nome di mio marito? – dico sorpresa.

L'uomo sembra esitare un secondo. Poi prende il mio libro e lo alza davanti a sé.

– Ah, ma l'ho letto qui dentro, no?

– Oddio, giusto, che sciocca!

– Amore, io ti aspetto fuori, ma davvero sbrigati che è tardissimo. Arrivederci, è stato un piacere.

– Piacere mio, – dice l'uomo.

Milo si allontana ed esce, trascinando il nostro trolley.

– Senta, – dico, – prima di salutarci posso farle una domanda io?

– Ci mancherebbe, mi pare equo.

– Secondo lei, a cosa servono le storie?

– Le storie? Intende scritte, lette o vissute?

– C’è differenza?

– Touché, – dice l’uomo. Si accarezza il mento, punta gli occhi in alto. – Be’, per chi fa il nostro mestiere questa non è solo una domanda fra le tante. È *la* domanda.

– E perché perdere tempo in quesiti inutili? Andiamo al sodo.

– Ahahaha. Lei è sempre cosí... diretta?

– Dovrebbe chiederlo a mio marito. Potrebbe darle risposte interessanti, in merito.

Milo riappare dalla vetrina della libreria, si sbraccia indicando l’orologio, a sottolineare che ormai non c’è piú tempo.

– Oddio, mi scusi, – dico. – È che non mi capita mai di parlare del mio lavoro con qualcuno, per questo sono curiosa. Ma ora devo proprio scappare!

– Ah, non si preoccupi, – conclude l’uomo. Tanto, come si dice: ci vediamo sui libri!

– Sí, arrivederci! E grazie per la bella chiacchierata!

– Grazie a lei!

Esco dalla libreria di corsa.

Io e Milo ci affrettiamo verso il binario e mi vengono in mente due cose.

Che alla fine non sono riuscita a ricordarmi il nome dell’uomo. Mi toccherà scoprirlo dal programma del festival, nella speranza che ci sia almeno una sua foto in cui riconoscerlo.

Che avrei proprio voluto ascoltare la sua risposta alla domanda sulle storie. Ho l’impressione che mi sarebbe piaciuta.

Magari, chissà, la leggerò un giorno in un qualche suo libro, mi dico mentre saliamo le scale e stringo la mia risposta nella mano.

E dunque, a cosa servono le storie?

C'è chi pensa servano a salvarci, c'è chi crede possano dannarci, c'è chi dice servano per far parlare la nostra parte che ama, invece di quella che vuole solo essere amata. C'è perfino chi crede che non servano a niente.

Io ho un'idea diversa.

Sono da poco passate le quindici, l'altoparlante annuncia finalmente l'arrivo del mio treno.

Mi alzo dalla panchina, nell'atrio della stazione. Mi fanno male le ginocchia e ho la schiena indolenzita. Mi sistemo lo zaino, mi aggiusto il berretto giallo di lana, alzo il bavero del giaccone e mi dirigo al mio binario.

Io credo che le storie servano a scaldarci quando il vento è troppo freddo, a farci sentire meno soli, a sapere che tutti, a prescindere dal treno, condividiamo lo stesso viaggio. Servono a permetterci di incrociare sguardi diversi dal nostro. Occhi consumati dalla paura, corrosi dall'ansia, stremati dalla fretta, illuminati dal fuoco di una nascente possibilità. A veder sfilare passi rapidi e altri piú lenti, alcuni indecisi e altri piú convinti, come in una danza in cui ciascuno cerca la propria misura.

Ognuno di quei passi è già una storia.

È la traccia di un cammino, dell'andare verso qualcosa o del volersene allontanare, la testimonianza di un amore oppure di una sofferenza, di un incontro o di un addio.

Di uno smarrimento e di un ritorno a casa, anche quando quella casa siamo noi stessi. Scrivere non è che un modo per accogliere il nostro dolore e quello degli altri, dargli voce, intuirvi un senso o una direzione. Offrire a questo dolore una piccola speranza. Oppure, al contrario, abbeverarsi alla fonte di una gioia altrui.

Ecco a cosa servono le storie, piú di tutto il resto.

A dare un senso alle nostre attese. A farci capire che c'è sempre un treno da prendere, nonostante tutto.

A farci sentire che siamo ancora in tempo.

Ringraziamenti.

Questo libro esiste grazie a sette persone.
A Rosella Postorino, che ha saputo aspettarlo per il tempo necessario, e che riesce a tirare fuori il mio meglio anche nel cuore della tempesta.
A Paolo Repetti, che mi ha accordato la sua fiducia come forse mai prima.
A Raffaella Baiocchi, che trova le parole giuste quando io le ho finite.
A Laura Ceccacci, perché comincia sempre tutto grazie a lei.
A Ivano Porpora, che sa dispensare buoni consigli con grazia.
A Maddalena Roncoletta, perché quando mi legge lei, io mi ritrovo ogni volta.
A Paola, grazie alla quale, proprio come nella vita, ho trovato una struttura. Sei il mio ritorno a casa.

Nota al testo.

La prima citazione in epigrafe a p. 3 è tratta da P. V. Tondelli, *L'abbandono. Racconti dagli anni Ottanta*, Bompiani, Milano 1993 © 1993 Giunti editore Spa/Bompiani.

La seconda citazione in epigrafe a p. 3 è tratta da *Mai come ieri*, testo e musica di Mario Venuti © 1998 by EMI Music Publishing Italia Srl/Universal Music Publishing Ricordi Srl. Tutti i diritti riservati per tutti i Paesi. Riprodotto per gentile concessione di Hal Leonard Europe Srl obo EMI Music Publishing Italia Srl e Universal Music Publishing Ricordi Srl.

La terza citazione in epigrafe a p. 3 è tratta da G. Perec, *Quale motorino con il manubrio cromato giú in fondo al cortile?*, traduzione di E. Caillat, E/O, Roma 2004.

La citazione a p. 9 è tratta da S. Benni, *Bar Sport Duemila*, Feltrinelli, Milano 1997. © Giangiacomo Feltrinelli Editore, Milano. Prima edizione ne «I Narratori» ottobre 1997. Prima edizione nell'«Universale Economica» febbraio 1999.

Le citazioni alle pp. 33 e 42 sono tratte da P. Roth, *L'animale morente*, traduzione di V. Mantovani, Einaudi, Torino 2002.

Le citazioni alle pp. 72, 76-8, 90 e 98 sono tratte da A. de Saint-Exupéry, *Il piccolo principe*, traduzione di A. Bajani, Einaudi, Torino 2015.

La citazione a p. 90 è tratta da L. Tolstoj, *Guerra e pace*, traduzione di E. Guercetti, prefazione di L. Ginzburg, Einaudi, Torino 2019.

La citazione a p. 90 è tratta da W. Wordsworth, *Il preludio* © 2015 Mondadori Libri Spa.

Le parole di Camilleri sulla scrittura e il mestiere di scrivere a p. 162 sono tratte dall'articolo di J. Ruiz Mantilla, *Por qué escri-*

bo, in «El País semanal», https://elpais.com/diario/2011/01/02/eps/1293953215_850215.html, poi ripreso su «la Repubblica» nell'articolo *Ecco perché scrivo. Gli autori raccontano*, https://www.repubblica.it/spettacoli-e-cultura/2011/01/04/news/perch_scrivo-10833269/

Indice

p. 11 LaMarta (Non siamo ricchi per ciò che possediamo)
18 Davide (Chissà perché nella vita non c'è quasi mai il lieto fine)
33 Giulio e Claudia (Poi arriva l'amore e ti spezza)
52 Vale (Voltati e vedimi)
58 Renato (Questo amore immenZo per te)
64 Giada (Non ascoltare la segreteria)
69 Springflower (Gli uomini vengono da Marte, le donne da Venere)
72 Anselmo (È il tempo perso per la tua rosa che rende la tua rosa cosí importante)
80 Guido (Il cliente da lei chiamato non è al momento raggiungibile)
90 Bianca (Tutto quello che hai sempre voluto è sul lato opposto della paura)
99 Giulietta e Antonio (Tra un incontro e un addio non c'è alcuna differenza)
108 Amanda (Pensano tutti che tu sia cresciuta in un monastero)
115 Simone (Oggi la camicia non sarebbe rimasta bianca)
121 Mauro (Forse hai solo paura di volare)
131 Marco (Il problema non sono io, sei tu)
138 Emma e Luca (Alzati)

p. 142 Francesco (Un ombrello grande a sufficienza)
151 Ines (In questa macchina c'è un odore buonissimo)
155 Milo e Nadia (A cosa servono le storie?)

168 *Ringraziamenti*
169 *Nota al testo*